지역사회 구강보건 실습지침서 - 제2판

편집위원

권현숙 (마산대학교)
이정화 (동의대학교)
조미숙 (춘해보건대학교)
이소영 (대구과학대학교)
남설희 (강원대학교)

집필위원 (가나다 순)

강현경 (신라대학교)
김지영 (울산과학대학교)
이선미 (경남정보대학교)
이은경 (부산여자대학교)
천세희 (마산대학교)
최정미 (부산정보대학교)

군자출판사

지역사회 구강보건 실습지침서 제2판

첫째판 1쇄 발행 | 2009년 6월 10일
둘째판 1쇄 인쇄 | 2017년 3월 2일
둘째판 1쇄 발행 | 2017년 3월 10일
둘째판 2쇄 발행 | 2020년 2월 13일

지 은 이　권현숙 외
발 행 인　장주연
출 판 기 획　한인수
편집디자인　박은정
표지디자인　김재욱
발 행 처　군자출판사(주)
　　　　　등록 제 4-139호(1991. 6. 24)
　　　　　본사 (10881) **파주출판단지** 경기도 파주시 회동길 338(서패동 474-1)
　　　　　전화 (031) 943-1888　　팩스 (031) 955-9545
　　　　　홈페이지 | www.koonja.co.kr

ISBN 979-11-5955-147-5

정가 20,000원

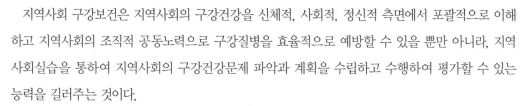

머 리 말

　지역사회 구강보건은 지역사회의 구강건강을 신체적, 사회적, 정신적 측면에서 포괄적으로 이해하고 지역사회의 조직적 공동노력으로 구강질병을 효율적으로 예방할 수 있을 뿐만 아니라, 지역사회실습을 통하여 지역사회의 구강건강문제 파악과 계획을 수립하고 수행하여 평가할 수 있는 능력을 길러주는 것이다.

　이는 치과위생사의 지역사회 구강보건현장인 지역사회 및 보건소, 유치원과 학교, 산업장, 각 시설 등에서 실제 경험을 통해 치과위생사의 구강보건관리능력을 최대화할 수 있을 것이다.

　이에 본 실습서는 지역사회를 중심으로 구강건강을 증진·유지하고자 하는데 목적을 바탕으로 치위생(학)과 학생이 지역사회 구강보건을 경험하는 현장에서 기본적으로 익히고 배워야 할 지식과 태도 및 기술과 활동영역을 파악하기 위한 것으로 제1부에는 지역사회 구강보건의 이해와 실습에 대한 이해와 치과위생사의 자세와 책무를 다루었고, 제2부에서는 대상자별로 지역사회 구강보건사업을 참여하여 경험하도록 하였으며, 제3부에서는 지역사회 구강보건사업별로 지역사회현장에서 실무와 연결시키는데 도움이 되도록 구성하였다.

　금번 개정에서는 지역사회 구강보건 실습서로 미흡한 점을 많이 보완하고 수정하였지만 계속 현장의 다양한 요구에 맞추어 새로운 내용을 제공하기 위하여 노력할 것이며, 더욱 질 높은 교재가 될 수 있도록 하겠다. 본 실습서가 치위생학을 전공하는 학생과 지역사회 현장실무자들이 보다 수준 높은 지역사회 보건소 구강보건사업을 효율적으로 수행하기 위한 지침을 얻을 수 있기를 바란다.

　끝으로 지역사회 구강보건 실습지침서의 개정판이 나올 수 있도록 애써주신 군자출판사 장주연 사장님과 한인수 부장님 그리고 직원 여러분께 진심으로 감사를 드린다.

2017년 2월 저자 일동

　　지역사회 구강보건은 지역사회의 구강건강을 신체적, 사회적, 정신적 측면에서 포괄적으로 이해하고 지역사회의 구강건강문제를 파악하고 계획을 수립하고 수행하여 평가할 수 있는 능력을 길러주는 것이다.

　　이는 치과위생사의 지역사회 구강보건 현장인 지역사회 및 보건소, 유치원과 학교, 산업장, 각 시설 등에서 실제 경험을 통해서 치과위생사의 구강보건능력을 최대화할 수 있을 것이다.

　　이에 본 실습서는 치과위생 학생이 지역사회 구강보건을 경험하는 현장에서 기본적으로 익히고 배워야 할 지식과 태도 및 기술과 활동영역을 파악하기 위한 것으로 제1부에는 지역사회 구강보건실습을 이해하도록 하였고 제2부에서는 대상별로 지역사회 구강보건 실습을 경험하도록 하였으며, 제3부에서는 지역사회 구강보건을 내용과 사업별로 지역사회 현장에서 실무와 연결시키는 데 도움이 되도록 구성하였다.

　　실습서로 내 놓기에는 여러 가지로 부족한 점이 많으나 본서가 치위생학을 전공하는 학생, 지역사회현장 실무자들이 보다 양질의 지역사회 보건소 구강보건사업을 효율적으로 수행하기 위한 지침을 얻을 수 있기를 바란다.

　　끝으로 지역사회 구강보건 실습지침서가 나올 수 있도록 애써주신 군자출판사 장주연사장님과 직원 여러분께 진심으로 감사를 드린다.

저자 일동

목 차

목 차

지역사회 구강보건 실습 평가표

년도   학년   학기

실습기관	보건소
평가자	(인)

1. 일반기록사항

사진	학 번	
	성 명	
	연락처	
실습생 소개		

2. 출결사항

월	화	수	목	금

(결석 : ×, 지각 : /, 조퇴 : △, 기타사항 : 사유기록)

3. 지역사회 구강보건 실습 진단평가서(실습생 작성)

영역	진단 문항	자가진단		
		우수 3점	보통 2점	미흡 1점
지역 사회 구강 보건 사업	1. 지역사회 구강보건 사업의 필요성을 설명할 수 있다.			
	2. 보건소, 보건지소의 설치기준을 설명할 수 있다			
	3. 지역사회 치과위생사의 역할을 설명할 수 있다			
	4. 임산부 구강보건사업의 종류에 관하여 설명할 수 있다.			
	5. 영아 구강보건사업의 종류에 관하여 설명할 수 있다.			
	6. 유아 구강보건사업의 종류에 관하여 설명할 수 있다.			
	7. 학생 구강보건사업의 종류에 관하여 설명할 수 있다.			
	8. 성인(사업장) 구강보건사업의 종류에 관하여 설명할 수 있다.			
	9. 노인 구강보건사업의 종류에 관하여 설명할 수 있다.			
	10. 장애인 구강보건사업의 종류에 관하여 설명할 수 있다.			
	총 점(30점)			점

4. 지역사회 구강보건 실습 평가내용(평가자 작성)

영역	평 가 항 목	매우 잘함 5점	잘함 4점	보통 2점	부족 1점	매우 부족 1점
지식	1. 지역사회 구강보건 실습의 필요성 인지 정도					
	2. 지역사회 구강보건사업 목표 인지 정도					
	3. 보건소 지역사회 구강보건업무 파악 및 수용력					
	4. 치과위생지식의 적용과 창의적 활용 정도					
	5. 현장실습 중에 전달된 지식 이해력과 통합력					
	6. 문제발생 시 대처능력 및 해결능력					
태도	7. 배우려는 적극적 태도와 행동(관심, 참여 등)					
	8. 예의바른 정도(인사, 대답, 어른, 선배 공경, 친절 등)					
	9. 실습학생 용모(출·퇴근복장, 실습복, 메이크업, 신발 등)					
	10. 실습생간, 구강보건실내 팀웍, 선·후배간의 팀웍 정도 등)					
	11. 치위생(학)과 학생으로서 자긍심 정도(참여, 표현 등)					
	12. 실습 후 마무리 및 정리정돈 정도					
	13. 봉사자로서의 자세(호의적 태도, 적극적 배려 등)					
기술	14. 치과위생기술 테크닉 정도					
	15. 구강보건교육매체 선정 정도					
	16. 구강보건교육매체 제작 정도					
	17. 구강보건교육매체 활용기법 정도					
	18. 구강보건교육지도기술 정도					
	19. 지역사회 대상자 의사소통기술					
	20. 대상자 및 상대방 마음과 생각 읽기 능력					
	총 점(100점)					점

5. 총평 및 건의 사항

I 지역사회 구강보건 실습의 이해

1. 지역사회 구강보건의 정의

지역사회(community)는 오늘날 보건의료관련 분야에서 지역집단, 지역공동체, 학교, 산업체 병원 등의 포괄적인 개념으로 해석된다. 지역사회의 개념은 학자들마다 다르지만 일반적으로는 사회적 집단 또는 인구집단으로서 여러 가지 공동 이익을 위해 서로 협조하며 비슷한 관심과 목표, 위치, 특성 등에 의해 모여 사는 지역사회집단을 말한다. 또한 인위적으로 집단을 구성하여 주민들의 일상생활을 영위하는 사회적 단위로 동질감이나 소속감을 갖게 되는 집단을 말한다. 마지막으로 공간적 집단은 지리적·지방적 특성과 지정학적인 특성이 중심이 되는 집단을 말한다.

지역사회 구강보건(community dental health)은 지역사회의 조직화된 공동 노력을 통해 사람들의 구강에서 발생되는 질병을 예방하고 관리·조절하여 구강건강을 증진·유지하는 과정을 지역사회 구강보건이라고 한다. 이러한 목적은 지역사회 구강보건활동을 통해서 달성된다. 지역사회 구강보건활동은 지역사회 주민의 구강건강을 증진·유지를 위해 적극적이고 지속인 활동으로 해야 하며, 전체 지역사회개발의 일환으로 구강보건 진료조직을 통하여 주민들의 건강 및 구강건강을 유지·증진하고자 노력하는 지역보건활동 과정이다.

2. 지역사회 구강보건의 특성

지역사회 구강보건의 정의에서도 살펴보았듯이 지역사회 구강보건의 목적을 달성함으로써 지역사회의 구강건강이 증진·유지되며 치아수명이 연장된다. 따라서 지역사회 전체 주민들과의 충분한 의사소통과정을 거쳐야 하며, 이를 위해서는 지역사회 구강보건의 특성을 잘 파악해야 한다.

- 지역사회는 공중구강보건의 한 분야로서 20세기에 발전되기 시작했다. 각 시대나 국가에 따라서 지역사회의 요구와 관심이 다르므로 그 시대의 건강에 대한 욕구를 잘 파악하여 반영해야 한다.
- 지역사회 구강보건은 지역사회 전체 주민과 지역사회 내부 인력 및 외부 인력과의 조직적이고 체계적인 공동 노력으로 발전할 수 있다.
- 지역사회 구강보건은 구강보건교육활동을 통하여 지역사회 주민의 구강보건의식을 개발하는 과정이다. 지역주민의 관심과 참여와 협조를 최대한으로 집결시켜서 지역주민들의 적극적

인 구강보건의식의 개발이 전제되어야 한다.

- 지역사회 구강보건은 전체 주민들에게 예방지향적인 포괄적 구강보건진료를 전달하고 전달받는 과정이다. 여러 전문 분야와 팀워크로 일반건강문제와 구강건강문제를 스스로 통합·관리할 수 있도록 함으로써 삶의 질을 향상시키고 건강한 지역사회를 조성하는데 목적을 두고 있다.
- 지역사회 구강보건은 총체적인 지역사회 개발의 한 영역으로 계획되고 진행되어야 한다. 각 지역사회마다 무형과 유형의 자원개발에 있어서 지역사회의 구강건강을 증진·유지하고 치아수명을 연장하기 위해서는 전체 지역개발 계획에 포함되어야 한다는 것이다.

3. 지역사회 구강보건의 내용

지역사회 구강보건의 내용은 시대의 흐름과 국가 및 지역에 따라서 다르다. 왜냐하면 사람들의 구강건강기능에 장애를 끼쳐 삶의 질에 영향을 주는 구강병은 다양한 요인에 의해 일어나며, 사람마다 다르므로 시대에 따라 국가 및 지역에 따라서 내용이 달라진다. 많은 사람들에게 구강 및 치아기능에 심각한 장애를 끼쳐 구강 및 치아의 중요한 기능을 못하게 하는 원인인 구강병을 우선적으로 관리해야 한다.

이러한 구강병을 중대구강병이라고 하며 우리나라를 비롯해서 대부분의 국가에서 많은 사람들에게 발생되고 있는 것이 치아우식병과 치주병이다. 따라서 지역사회 구강보건의 주된 내용, 즉 지역사회 구강보건사업의 핵심내용은 중대구강병의 관리이다.

4. 지역사회 치과위생사의 역할

치과위생사는 지역사회의 구강건강을 증진·유지시키는 책임자로서의 다양한 역할이 요구되고 있다. 따라서 지역사회 치과위생사 역시 임상가, 치위생 교육자 및 촉진자, 행정가 및 관리자, 소비자 옹호자, 연구자, 변화주도자로서 지역사회에서 역할을 수행해야 한다.

1) 치위생 임상가로서의 치과위생사 역할

현대 치위생 임상가의 역할은 건강표시 및 구강질병의 평가, 치위생 문제의 식별, 치위생 관리의 계획, 실행 및 평가를 포함하고 있다. 즉, 임상가로서의 치과위생사는 지역사회 주민을 도와 구강 보건목표를 결정하고, 지역사회 주민과 협동하여 최소한의 시간과 에너지를 들여, 이들 목표를 달성하도록 하는 역할에 중점을 둔다. 효과적인 치위생 관리를, 즉 지역사회에서 일차적 예방관리를 실행하기 위해서 치과위생사들은 전반적인 치위생 과정을 통해 의사결정이론을 적용해야 한다. 지역사회 주민을 평가·관리하거나 관리의 결과로 평가하든 간에, 치과위생사는 반드시 고객의 특별한 상황을 고려해서 가장 최적의 치위생 행위를 결정하여 활동계획을 세워야 한다. 치과위생사는 이러한 계획을 독립적으로 실행하기도 하고 또는 지역사회 주민과 가족, 치과의사 또는 기타 보건전문인들과 협동해서 결정하여 지역사회 치과위생활동을 해야 한다.

2) 치위생 교육자 및 촉진자로서의 치과위생사 역할

오늘날의 소비자 보호운동, 자기관리, 질병예방 및 건강한 생활양식 추구경향은 주민들이 구강보건 및 직업에 대해 광범위한 정보를 필요로 하고 있다는 사실을 의미한다. 지역주민이 학습욕구를 가지고 있을 때 교육자로서의 치과위생사 역할이 대두된다. 교사와 지역주민 관계에서 치과위생사는 구강보건 및 질병에 관한 개념과 사실을 설명해 주고, 자기관리 절차를 시범해 주고, 지역주민의 이해 정도를 판단하여 학습시키며, 또는 바람직한 행동으로 유도하고 고객의 학습과정을 평가하는 등의 일을 한다. 정보의 직접 전달 외의 치위생 행위 배경 내의 이러한 모든 행위를 교육이라 한다. 교육은 지역주민이 구강건강을 달성하도록 돕는 방향으로 전개되는 전 범위의 치위생 활동에 포함된다. 그러므로 지역주민이 치위생의 지식을 배우도록 돕기 위해서 치과위생사는 고객의 독특한 특징과 능력에 부합되는 교육적 이론과 방법을 사용하며 강의보조자료, 서적들과 같은 다른 교수-학습자원을 이용한다. 교육자로서의 치과위생사는 교수-학습과정을 이용하는 것이 효과적이다. 치위생 교육자 및 구강보건 촉진자의 역할에는 지역주민들, 치과의사들 및 기타 보건관리 전문가들과의 효과적인 의사소통과정을 이용한다. 이러한 교육자 역할은 개인, 가족 및 지역사회의 구강보건 및 인간욕구를 충족시키는 일에도 중요하다. 또한 대부분의 법령의 시행령에는 구강보건교육을 치과위생사의 책임으로 구강보건교육자로서 역할의 중요성을 인정하고 있다. 치위생 관련 교육자들은 개인의원, 종합병원 이외의 환경에서도 일을 하고 있으며, 치위생 관련 전문 분야에서도 일을 하고 있다. 즉, 치위생대학(교), 공중보건분야, 각 시설, 유치원, 초·중등학교 등에서 전문적인 역할을 실행하고 있다.

3) 치위생 행정가 및 관리자로서의 치과위생사 역할

지역사회 치과위생사는 지도력이 필요하다. 개인, 가족, 집단, 지역사회에서 지도력이 발휘된다. 따라서 전문직 인으로서 다른 사람들의 일을 안내하고 지도하는 역할을 해야 한다. 관리자에게 는 계획, 의사결정, 조직, 배치, 관리 및 통제 등과 관련된 책임이 있다. 그러므로 치과위생사들은 고용체제의 행정구조를 이해할 때, 관리기술을 사용하고 이러한 조직구조를 사용해서 조직의 목표를 달성하도록 해야 한다. 관리자의 지식을 사용해서 치과위생사는 권위와 다양한 종류들의 책임, 그리고 대화 채널들에 대해서 알게 되고, 조직의 정책 및 절차를 이용하고 헌신할 수 있게 된다. 특히 지역사회 구강보건은 지역사회의 조직적·체계적 노력으로 구강건강을 증진·유지시킬 수 있다고 보며, 공중구강보건 분야에서는 행정관리체계에 따라 행정전문가로서의 실력을 배양하여 능력을 발휘해야 하고, 관리자로서 인력자원 뿐만 아니라 무형의 자원까지도 조정·통제·관리해야 한다. 그리고 인간관계 및 자원의 중요성도 알아야 한다.

4) 소비자 옹호자로서의 치과위생사 역할

옹호자라고 함은 국민의 권리와 복지를 관리·후원하는 치과위생사의 역할을 뜻한다. 환자는 주로 보건관리 환경에서 제한된 공간에 구속되어 있는 것이 일반적이다. 지역사회 치과위생사의 역할은 개인, 가족, 지역사회 수준에서 수행할 수 있는 역할 중의 하나이다. 따라서 옹호자로서의 치과위생사는 국민들이 보건관리에 관해서 자신이 스스로 결정할 권리를 가지고 있다는 것과, 그 이전에 선택하기 위한 정보가 제공되어야 된다는 사실도 동시에 알아야 한다. 그래야만 치과위생사는 국민이 결정을 용이하게 하도록 도와 줄 수 있고, 그들이 필요로 하는 정보제공, 주어진 상황에서 국민의 알 권리가 무엇인지 알려줌으로써 고객의 결정을 용이하게 해 줄 수 있다. 치과위생사들은 국민을 위해서 어떤 결과를 해석해 주고, 보류할 만한 기타 변수나 대안들을 식별해 주며 의사결정에 있어서도 치과의사와 외과의사, 다른 보건 요원 및 가족들과 협의하여 고객의 방안들을 평가하는 데도 도움을 주어야 한다.

5) 치과위생사의 연구자로서의 치과위생사 역할

연구자는 이해, 설명, 해석, 궁극적으로 조절할 수 있는 목적을 지니고 세상에서 관찰되고 있는 현상들을 조사한다. 지역사회 치과위생사는 구강보건분야의 전문경력을 통해서 현대의 치위생분야에서 뒤떨어지지 않아야 한다. 이 때문에 치과위생사는 열심히 연구를 해야 하며, 이러한 연구를 통해서 습득한 새로운 지식은 모든 치위생 분야에서의 의사를 결정하는 일에 활용된다. 이러한 연구 활동은 모든 치위생 활동의 영역이나 분야에서도 중요한 것이므로 현대의 치과위생사는 반드시 문제의식을 가져야 하고, 창조적이어야 되며, 문제를 체계적으로 해결하고, 구강보건을 개선하기 위하여 분석적인 사고를 해야만 한다. 실제로 치과위생사는 연구결과의 중요한 소비자다. 그래서 치위생과정은 연구과정의 기본이 된다. 그리고 치위생 연구자들은 국가기관이나, 학교, 지방보건행정기구, 일선보건행정기구 등에 있는 치과연구소 같은 연구기관에서도 근무하면서 그 역할을 해야 한다.

6) 변화주도자로서의 치과위생사 역할

변화라는 것은 개인, 가족, 그룹 또는 공동체의 생각이나 현안을 변경하고 수정하거나 변화시키는 과정이다. 변화주도자는 변화를 일으키며, 솔선해서 시도하는 사람이다. 급속한 사회적·과학적·기술적 변화를 관리해야 하는 치과위생사의 역할이나 욕구 때문에 치과위생사들이 변화를 관리해야 할 필요성이 대두된 것이다. 변화주도자라 함은 변화에 대해 체계적으로 접근하면서, 이 과정에서 이론적 지식을 적용하는 개인을 지칭하는 것이므로 치과위생사도 모든 치위생 활동에 체계적으로 접근함으로써 지역사회 치과위생사의 책무를 다해야 한다. 여기서 치과위생사는 다른 사람에게 변화에 대한 필요성을 알게 하며, 변화하도록 동기화하고 바람직한 방향으로 이끌어 가야 한다.

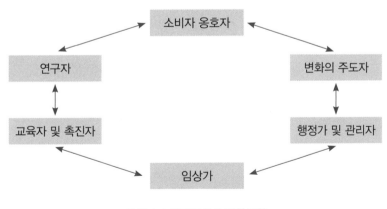

그림 1-1 **치과위생사 역할모형**

5. 지역사회 구강보건 실습 의의

지역사회 구강보건 실습은 치위생(학)과 재학시절에 치위생전공과 교직과정을 이수하는 학생들이 지역사회 구강보건 교육자로서 지역사회 구강보건사업이 실행되고 있는 보건소와 보건소 구강보건실, 학교 구강보건실 등 현장실무교육에 직접 참여함으로써 지역사회 치과위생사로서 자세와 직무를 학습과정이다.

지역사회 구강보건 실습은 치위생학 전공과목과 교직과정 이론에서 습득한 내용을 실무에 적용해봄으로써 구강보건 교육자로서 지역사회와 학교구강보건, 유아, 성인, 노인, 모성, 장애인, 각 시설 등에게 총체적인 구강보건사업에 대한 이해와 이에 필요한 기술과 능력을 함양하고, 지역사회 모든 인구에 대한 구강건강관리 능력을 배양함으로써 지역사회 구강보건 교육자로서의 사명감을 고취하는데 그 의의가 있다.

6. 지역사회 구강보건 실습 목적

지역사회 보건소의 조직과 기능 및 역할을 파악하고 보건소 구강보건사업 중 모자 구강보건사업, 유아 구강보건사업, 학생 구강보건사업, 성인(산업장) 구강보건사업, 노인 구강보건사업, 장애인 및 각 시설에게 구강보건사업에 대한 지식과 기술을 습득하도록 하여 보건소 구강보건사업에 대한 이해를 돕고 각각의 구강보건사업에서 치과위생사의 역할을 수행할 수 있는 능력을 기르는데 목적이 있다.

7. 지역사회 구강보건 실습 목표

(1) 지역사회 보건소의 행정조직과 기능 및 역할을 설명한다.
(2) 지역사회 대상자가 가지고 있는 구강건강문제를 파악한다.
(3) 보건소 구강보건사업 지침을 확인한다.
(4) 보건소 구강보건사업을 분류하고 목적을 설명한다.

(5) 보건소 구강보건사업 기획에 참여한다.

(6) 보건소 구강보건사업을 수행을 위한 준비를 한다.

(7) 보건소 구강보건사업을 수행한다.

(8) 보건소 구강보건사업을 평가한다.

8. 지역사회 구강보건 실습자 자세

(1) 지역사회 치과위생사에 대한 확고한 신념과 사명감을 갖는다.

(2) 지역사회 치과위생사에 대한 기본적인 자질과 전문적인 능력을 배양한다.

(3) 지역사회 대상에 따른 교수학습내용 구성 및 결과 평가의 경험을 통해 구강보건교육 기법을 함양한다.

(4) 여러 가지 교수학습자료 제작과 활용방법을 경험한다.

(5) 지역사회 구강보건사업 참여로 지역사회 주민에 대한 개별 또는 집단적 이해를 도모한다.

(6) 구강보건사업 업무 전반을 경험하고 이해를 높인다.

(7) 구강보건 교육자로서 자가 평가의 기회를 가진다.

(8) 구강보건 교육자로서 지역주민의 다양성을 이해하고 수용한다.

9. 지역사회 구강보건 실습 시 유의사항

(1) 실습복장은 단정히 하되 오픈가운 또는 임상가운을 입고(보건소에 따라서 다름) 명찰을 패용한다.

(2) 보건소 내에서는 실습화를 신고 외출 시에는 낮은 구두, 무난한 디자인의 운동화를 신도록 한다.

(3) 짙은 화장과 장신구(머리핀, 반지, 목걸이, 귀걸이 등), 긴 손톱을 하거나 손톱에 색칠도 금한다.

(4) 보건소 내 직원 및 외부 활동 시 실습기관 관계자에게 상냥하게 인사를 한다(경어와 존댓말, 표준어 사용).

(5) 전화를 받을 때는 친절하게 용건을 구체적으로 메모하여 책임치과위생사에게 전달한다.

(6) 사적인 전화 사용은 하지 않으며, 실습 중 휴대폰 전원은 끈다(진동, 문자 메시지 사용 금함).

(7) 보건소 내의 모든 관계자를 "선생님"이라고 호칭한다.

(8) 보건소나 외부 기관 등에서 실습이 이루어질 때 예의바르게 행동하며, 특히 큰소리를 내거나 뛰어다니지 않도록 한다.

(9) 사적인 잡담은 절대하지 않으며, 휴식시간에도 몰려다니며 잡담을 금한다.

(10) 실습시간 20분 전까지 실습지에 도착한다.

(11) 지각, 조퇴, 결석 시에는 학생 본인이 실습 담당교수와 실습지의 책임치과위생사에게 연락한다.

(12) 실습 시에 수첩과 볼펜(흑·적색)을 준비한다.

(13) 출석부에 실습지 도착시간 및 실습 종료시간을 기록한다.

(14) 실습 전·후에는 반드시 손을 씻는다.

(15) 식사시간은 각 실습지의 사정에 따른다.

(16) 도난 우려가 있는 소지품은 되도록 지참하지 않는다.

(17) 실습기관의 공적인 자료 및 물품은 절대 개인적으로 사용하지 않는다.

(18) 과제작성을 위해서 녹음 및 사진촬영이 필요할 경우 반드시 관계자의 허락을 받도록 한다.

● 실습요령

□ 실습과제와 실습내용, 실습평가기준을 숙지하여 실습에 차질이 없도록 한다.

□ 보건소에서 주어지는 일에는 적극적으로 최선을 다한다.

□ 책임선생님의 지시를 따라서 긍정적으로 수용하고, 의문이나 문제가 생겼을 때에는 반드시 실습담당선생님과 상의하거나 보고한다.

□ 보건소 실습일정에 따라 보건소 외부 시설이나 유치원 업무 수행 후 담당선생님의 지시를 따르고 사소한 일도 반드시 보고한다.

□ 항상 뒷정리 및 주위를 깨끗이 정리정돈한다(음료수 섭취 후 종이컵, 화장 후 휴지, 출·퇴근 시 청소). 실습 종료 시 처음 시작조의 대표 학생(조장)은 실습 종료 후 다음 실습대표 학생에게 반드시 인수인계를 철저히 한다(인수인계내용 실습일지에 작성).

□ 실습지침서와 기타 과제물은 제출일자에 반드시 제출한다.

□ 각 조장은 실습 시작(보건소 도착 직후)과 실습 마지막 날에는 담당교수에게 보고한다(전화 또는 문자).

□ 실습관련 연락처

	성명	사무실(연구실)연락처	기타
실습담당 선생님			
실습담당 교수님			

10. 지역사회 구강보건 실습 성격

지역사회 구강보건 실습은 관찰과 참여, 실천 순으로 이루어지며, 관찰은 비참여 관찰에서 참여 관찰로 이어지고, 실습은 모자 구강보건사업, 유치원 구강보건사업, 구강보건실 구강보건사업, 학교 구강보건실 운영사업, 성인(산업장) 구강보건사업, 노인 구강보건사업, 등으로 구분한다. 관찰은 보건소 구강보건실과 학교 구강보건실을 포함한 각 시설, 직원, 사업의 목적과 계획, 교육과정, 교수-학습지도, 인간관계 및 상담 등에 대한 객관적인 자료를 수집한다. 이를 기초로 하여 담당지도 치과위생사의 지도 하에 학생 스스로 구강보건 사업기획 및 수행과정 참여, 구강보건 교육계획과 자료개발, 다양한 방법 적용 및 구강보건지도, 구강보건실 운영, 상담, 평가 등을 실천하며, 보건소 구강보건실 운영에 필요한 행정 사무 등을 포함한다.

11. 지역사회 구강보건 실습 일정 및 내용

1) 실습 일정별 주요 내용

실습 일정에 따른 주요 내용을 파악한다.

실 습 일	실 습 내 용
실습 1일	

실 습 일	실 습 내 용

실습일	실습내용

실 습 일	실 습 내 용

실 습 일	실 습 내 용

II 대상자별 구강보건 실습

1. 모자 구강보건사업

모자보건은 생애주기별 건강에서 가장 기초가 되며, 한 나라의 국민건강과 나아가서는 삶의 질 추구의 근간이 된다. WHO 모자보건위원회에서는 모자보건을 '모든 임산부는 건강을 잘 유지하여 건강하게 아기를 출산하고, 수유부는 육아기술을 습득하여 건강하게 자녀를 키울 수 있도록 관리하는 것'이라고 하였다.

우리나라 모자보건법(2010년) 제1조에서 모자보건의 목적은 '모자보건이란 모성 및 영·유아의 생명과 건강을 보호하고 건전한 자녀의 출산과 양육을 도모함으로써 국민보건향상에 이바지함을 목적으로 한다'고 하였다. 또한 모자보건대상을 모성과 영·유아라고 규정하며 모성이란 임산부와 가임기 여성이라고 하여 과거 가임여성 중심의 모자보건사업을 탈피하여 모자보건사업의 대상과 범위를 확대하고 있다. 그러나 영·유아에 대해서는 출생 후 6년 미만인 사람으로 규정하여 학령 전기아동이라고 정의를 내렸다.

모자 구강보건사업은 정부가 추진하는 보건사업 중 제 1순위로 추진되고 있는 사업으로 인간생명을 건강하게 육성하는 모성의 중대한 사명을 기본으로 모든 인간은 태생기부터 모성의 영향을 가장 많이 받게 되므로 모자보건은 사회나 국가가 책임을 가지고 시행해야 하는 공적 보건사업의 일환으로 임산부와 영유아에 구강건강을 종합적, 지속적으로 관리하여 모성 및 영유아의 구강건강 증진을 도모하는 사업이다.

1) 임산부 구강보건관리

① 정기적 구강검사 및 치료

임신초기부터 정기적인 구강검진을 받는 것이 임산부의 건강에 좋으며 산부인과의사와 협조체계를 유지한다면 협진을 하는 것이 더욱 더 좋은 방안이라 할 수 있겠다. 매달검진을 하거나 3개월에 한번씩 검진하는 것이 좋으며, 이는 임산부의 구강건강 관리에 따라 달라질 수 있다. 검진 시간은 되도록 짧은 것이 좋다. 임신기간에 치료가능한 시기는 중기 4~7개월이며, 응급처치가 아닌 경우는 출산 100일 이후로 연기하는 것이 좋다.

② 구강보건교육

임산부의 주된 교육내용으로는 임신기간 동안 구강위생관리 소홀로 인해 발생하는 양대 구강병인 치아우식병과 치주질환의 발생을 감소시킬 수 있는 가장 기본적인 치면세균막 관리, 식이 조절에 의한 당분섭취 제한 간단한 치면세마 및 불소 이용 등에 중점을 두어 교육을 해야 할 것이다. 임신기간에 보건소를 내원하게 되면 모자보건실에서 임산부 등록 및 관리를 하게 되는데, 즉 모자보건실에서 실시하는 라마즈체조를 월 1회 정해진 요일에 실시하므로 모자구강보건 교육도 함께 실시한다. 매월 정기적으로 모자보건실을 방문하는 임산부를 모자보건실에서 정기적으로 관리하게 되며, 모자보건사업과 연계하여 구강보건실에서도 1차 내원 시 구강검진 및 칫솔질 시범교육, 2차 방문 시 착색제를 이용하여 구강건강관리 상태평가, 3차 방문 시 유아구강 건강관리법 교육 등을 실시하여 임산부들의 구강건강관리 및 청결에 최적의 상태를 유지할 수 있게 한다.

(1) 모자 구강보건사업의 목적 및 필요성을 기술한다.

(2) 모자 대상의 구강보건요구 사정을 한다.

주 제	요 구 사 정
신체발달	
심리적 특성	

주 제	요 구 사 정
구강 및 치아의 특성	

(3) 모자 구강보건사업과 실제 업무수행을 비교 평가한다.

구강보건업무지침에 기술된 모자 구강보건사업 내용	실습지 보건소 모자 구강보건사업 실제업무 (학생, 치과위생사 수행업무 포함)

비교분석결과

(4) 모자구강보건실 이용의 주 내용 및 질문과 지도내용을 기술한다.

일시	방문 주 내용과 질문	지도내용	이론적 근거

(5) **구강보건실에 비치되어 있는 모자관련 기구, 약품, 서식을 파악하고 그 내용을 확인한다.**

① 기구 및 약품

기구 및 약품	용도 및 사용법

② 구강보건교육자료

교육매체 종류	디자인 또는 사진	활용방법

③ 기록이나 서식

명 칭	용 도	기록지 및 서식

④ 모자구강보건 대상자 이용실태 분석(실습기간 동안)

대 상 자	방 문 이 유	관 리 내 용

표 2-1 아동의 치아 닦는 자세

- 욕실 거울 앞에서 아동과 성인이 거울을 통해 이 닦는 것을 볼 수 있도록 아동의 등 뒤에 성인이 선다.
- 침대나 의자에 앉아서 성인 무릎에 아동의 머리를 둔다.
- 바닥에 앉아서 성인의 대퇴사이에 아동의 머리를 둔다.

그림 2-1 임산부의 구강건강교육

그림 2-2 임산부 구강보건교육

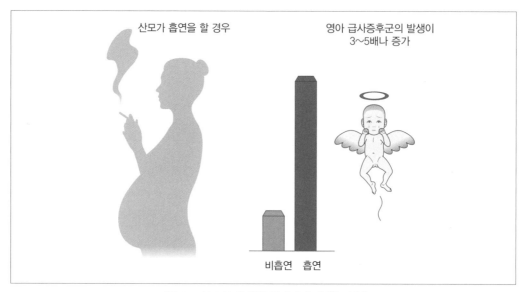

그림 2-3 산모의 흡연시 영아에게 끼치는 영향

고개를 앞으로 약각 숙인다.

치약은 자극적인 향이 나지 않는 것을 사용한다.

칫솔을 밖으로 훑어 내듯이 닦는다.

그림 2-4 입덧이 심할 경우에는 몸 상태가 좋은 시간을 택하여 칫솔질을 하고, 얼굴을 아래로 향하게 하여 닦는 것이 좋으며, 작은 칫솔을 사용하는 것도 도움이 된다.

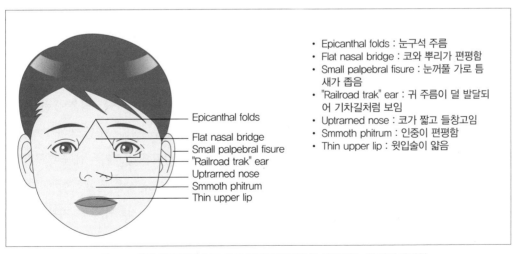

- Epicanthal folds : 눈구석 주름
- Flat nasal bridge : 코와 뿌리가 편평함
- Small palpebral fisure : 눈꺼풀 가로 틈새가 좁음
- "Railroad trak" ear : 귀 주름이 덜 발달되어 기차길처럼 보임
- Uptrarned nose : 코가 짧고 들창고임
- Smmoth phitrum : 인중이 편평함
- Thin upper lip : 윗입술이 얇음

Epicanthal folds
Flat nasal bridge
Small palpebral fisure
"Railroad trak" ear
Uptrarned nose
Smmoth phitrum
Thin upper lip

그림 2-5 태아 알코올증후군 아이에서 전형적으로 관찰되는 안면미세기형

2) 영아 구강보건사업

영아는 출생 후부터 1년 이내의 아기를 말하며, 모체에서 외부로 변화된 환경에 적응하는 첫단계의 신생아기부터 양육자에게 구강청결 및 관리에 필요한 구강보건교육 및 구강건강관리를 위하여 모자보건수첩 권장 및 영아의 성장 발육상태 점검, 치아 맹출시기 등을 파악할 수 있도록 영아의 구강관리 및 지도를 양육자를 통해서 이루어지도록 하는 사업이다.

(1) 영아기의 구강관리

영아기에는 이유식을 하는 시기이므로 우유병우식증을 예방하기 위해서는 생후 12개월부터 우유병 사용을 되도록이면 자제하고 컵으로 이유식을 하도록 하여야 한다. 특히 야간 수유로 치아우식병에 걸릴 확률이 높으므로 생후 12개월이 지나고 나면 주간에만 수유를 하도록 하여야 하며 불소정제를 복용하여 치아우식병을 예방하도록 한다.

영아기의 구강관리는 치아 맹출 직전까지 수유 후 손가락에 젖은 거즈를 감아 구강조직과 치은을 닦아 주어야 한다.

그리고 이 시기에는 음식물을 잘라 아이에게 주거나 입맞춤 등을 통해서 구강 내 세균이 전염될 수 있으므로 모자감염을 방지할 수 있도록 영아의 구강관리에 대한 교육을 실시하여 준다.

이 시기의 전반기는 아직 이가 나지 않았기 때문에 칫솔질 등의 적극적인 구강관리는 필요하지 않지만 가정에서 부모가 구강을 정기적으로 관리해주고 관찰해 주어야 한다.

이 시기에는 입에서 모유나 우유가 장시간 고여 있는 일도 없고 수유 후의 찌꺼기는 타액과 함께 삼켜져서 자연스럽게 깨끗해진다.

▶ 출생~생후 6개월

이가 나는 시기가 가까워지면 잇몸이 부풀어 있는 곳이 있을 수 있는데 유치 맹출은 생리학적인 과정으로 유치 맹출 시 약간의 불편감이 있을 수 있다. 어떤 영아는 침을 흘린다던지 손가락을 더 자주 빤다던지 딱딱한 물건을 깨무는 등의 증상을 보인다. 일단 치아가 맹출되게 되면 충치균에 노출되며 충치는 전염되는 것은 아니지만 충치를 일으키는 세균이 구강 내에서 전염되는 것이기 때문에 구강 내에 충치균이 많은 어른이 음식을 씹어서 아이에게 주는 행동을 삼가해야 하며, 수유 후 보리차를 마시게 하거나 젖은 거즈 등으로 치아를 닦아주는 것이 좋다.

▶ 생후 7개월~1년
  - 이 시기는 이유식을 하는 시기이지만 침을 많이 흘리는 시기로 타액으로 인해 구강 내 자정작용이 잘 되는 시기이며, 끓여서 식힌 물을 마시게 하거나 거즈를 사용해서 잇몸을 닦아 주고 이가 나기 시작하면 손가락에 끼는 실리콘 칫솔을 사용해서 잇몸을 마사지 해 주는 것이 좋다.
  - 모방을 잘 하는 시기이므로 가족 모두가 이를 닦고 있는 모습을 보여주거나 아이가 수저를 쥘 수 있다면 칫솔을 놀이기구로 제공해 주어 칫솔과 친숙해질 수 있도록 하는 것도 좋다.
  특히 잠을 자는 동안 수유를 하는 습관은 치아에 치명적이므로 주의해야 할 시기이다.

▶ 1년~1년 6개월
  - 이 시기에는 어금니가 나기 시작하는 시기로 과자류나 감미식품 등에 노출되기 시작하는 시기이므로 하루에 한 번은 깨끗하게 이를 닦는 습관을 길러 주도록 한다. 처음부터 혼자 이를 닦게 하지 말고 반드시 부모가 이를 닦아 주도록 한다.

① 올바른 칫솔질 방법
  치약의 양은 작은 콩알 크기로 하고 매 식사나 간식 먹은 후 칫솔질을 하도록 한다. 특히 취침 전 칫솔질을 하고 난 뒤에는 물 이외의 어떠한 음식도 섭취하지 못하게 하여야 한다. 간혹 외출 시에 칫솔질을 할 수 없는 경우 생수로 입안을 헹구는 방법을 추천한다. 아동의 치아를 가장 효과적으로 관리하기 위해서는 아동이 먼저 칫솔질을 하고 난 뒤 보호자가 다시 치아를 닦아주는 것이 좋으며, 아동의 뒷 편에서 한 손으로 아동의 턱을 감싸고, 나머지 한 손은 칫솔을 잡은 뒤 아동의 치아를 닦아주도록 한다. 칫솔질 후에는 아동이 치실을 사용할 수 없기 때문에 보호자가 치실로 치아와 치아 사이에 남아 있는 음식물 찌꺼기와 치면세균막을 제거해 주어야 한다.

② 구강보건교육
  생후 6개월까지는 치아가 없지만 생후 6~10개월에는 보통 아래 앞니가 나기 시작하므로 6개월 전·후 유치의 탈락과 영구치에 대해 관리하는 방법을 부모가 알고 있어야 한다.

③ 불소도포

불소는 유치의 법랑질 형성 기간 동안이나 맹출 직전 국소도포는 맹출 직후 치아에 가장 큰 우식 예방효과를 기대할 수 있다. 특히 유치에서 불소도포가 필요한 이유는 치아표면의 내산성을 증가시켜 치아에 방탄조끼를 입히는 것과 같은 효과가 있으므로 유치의 우식예방 프로그램에서는 필수적이다.

④ 불량습관 수정

  - 손가락빨기와 손톱빨기

    아이들이 손가락이나 손톱을 깨물거나 빠는 행동은 생후 1~2년간 계속되다가 성장함에 따라 점차 줄어든다. 어떤 경우에는 자연스럽게 사라지기도 하지만 지속되는 경우 치아와 턱뼈의 발달에도 영향을 미치게 되고, 얼굴형태의 이상 등의 부작용이 나타나기도 한다.

  - 예방법

    ■ 고무젖꼭지 또는 예방기 사용을 권장한다.

    ■ 부모의 인내가 필요하며, 아이가 어릴 때는 관심을 주지 말고 기다릴 필요가 있다.

    ■ 안정감을 주도록 하며, 스트레스를 주지 않도록 한다.

    ■ 수유시간을 늘려 편안하고 오랫동안 충족할 수 있도록 한다.

    ■ 보상과 벌로 행동을 수정해 주도록 해야 한다. 즉, 칭찬이나 음식 장난감과 같은 물질적인 보상은 손가락을 빠는 버릇을 수정하는데 효과적으로 작용한다. 보상방법으로 잘 지켰을 때 아이가 좋아하는 것 등을 사준다던지, 벌을 주는 방법으로는 아이가 좋아하는 것을 한시간 동안 하지 못하게 하는 등의 방법이 효과적이다.

⑤ 정기구강검진 시기와 필요성

미국소아과학회에서는 생후 6개월에 구강검진을 권장하고 있다. 유아는 새롭고 무서운 경험에 대해 부정적이므로 치과의 첫 방문은 위협적이지 않도록 최대한 편안하고 자연스럽게 이루어질 수 있도록 하여야 한다. 아동의 정서발달을 위해서 치과 첫 방문시 치과를 둘러보거나 치과의사를 만나고 치과진료의자에 자연스럽게 앉아 치과기구나 치과소리에 적응이 되도록 한다. 이 때 아동이 협조적이고 공포스러워 하지 않을 경우에는 구강검진을 하며, 자세한 검진과 정밀한 검진은 다음으로 미루는 것도 좋은 방법이고, 부모님이나 치과치료를 잘 받는 형제나 친구들이 치료

받는 과정을 지켜보게 하는 것도 효과적인 방법일 수 있다. 이 시기 구강검진은 치아우식병 여부와 향후 빈번하게 생길 수 있는 치아우식병을 사전에 예방하기 위하여 부모에게 식생활습관에 대해 적절히 지도하여 치아우식병을 예방할 수 있도록 하여야 한다.

가) 영아 구강보건 실습의 목적과 필요성을 기술한다.

나) 영아 대상의 구강보건요구 사정을 한다.

주 제	요 구 사 정
신체발달	
심리적 특성	

주 제	요구사정
구강 및 치아의 특성	

다) 업무지침 영아 보건사업 내용과 실제 영아 구강보건사업 내용을 확인한다.

구강보건법과 시행령 시행규칙의 영아 구강보건 업무	실습지 보건소 영아 구강보건 실제업무

비교분석결과

라) 실습보건소 관할지역 영아 구강보건사업 실태를 파악한다.

방문내용 영아교육기관	영아수	구강보건교육 (보호자교육)	구강청결 관리	정기적인 구강검진	불소이용	식이지도	기 타
계							

마) 영아 구강보건교육(부모교육) 교안

주 제		일 시		장 소	
학습목표	1. 2. 3.				
수업방법			대상자		
학습단계	주요내용 및 활동			시간	학습자료
도 입					
전 개					

학습단계	주요내용 및 활동	시간	학습자료
전개			
요약 및 질문			

3) 유아 구강보건사업

유아는 2세~6세까지의 학령 전기의 신체적, 정신적으로 발육과 성장이 왕성하고 언어와 운동 기능이 뚜렷하며, 자신을 조절할 수 있는 사회성이 발달하는 시기이다. 또한 36개월에는 유치열이 완성되는 시기여서 저작기능과 유치 우식 발생이 빈발하기 때문에 스스로 구강건강관리 습관을 통하여 평생구강건강의 기틀을 마련하여야 하는 중요한 시기이므로 유아의 구강건강 증진을 위해서 스스로 실천할 수 있도록 하여야 한다.

유아 구강보건사업으로는 구강보건교육, 불소용액양치, 불소도포 등이 있다.

가) 유아 구강보건 실습의 목적과 필요성을 기술한다.

나) 유아 대상의 구강보건요구 사정을 한다.

주 제	요 구 사 정
신체발달	
심리적 특성	

주 제	요 구 사 정
구강 및 치아의 특성	

다) 업무지침 유아 보건사업 내용과 실제 유아 구강보건사업 내용을 확인한다.

구강보건법과 시행령 시행규칙의 유아 구강보건 업무	실습지 보건소 유아 구강보건 실제업무

비교분석결과

라) 실습보건소 관할지역 유아 구강보건사업 실태를 파악한다.

방문내용 유아교육기관	유아수	검진	교육	보건소 행사 참여	치아홈 메우기	불소 용액 양치	전문가 불소 도포	식이 지도
계								

마) 유아 구강보건교육 교안

주 제		일 시		장 소	
학습목표	1. 2. 3.				
수업방법			대상자		

학습단계	주요내용 및 활동	시간	학습자료
도 입			
전 개			

학습단계	주요내용 및 활동	시간	학습자료
전개			
요약 및 질문			

바) 보호자 구강보건교육 교안

주 제		일 시		장 소	
학습목표	1. 2. 3.				
수업방법			대상자		
학습단계	주요내용 및 활동			시간	학습자료
도 입					
전 개					

2. 학생 구강보건사업

　학생·구강보건이란 학교교육의 일부로서 학생들의 구강건강을 효율적으로 유지·증진하고 학생들의 구강건강 지식과 태도 및 행동을 변화시켜 일생동안 구강건강을 적절히 관리할 수 있는 능력을 배양해야 한다. 이러한 계속적인 노력으로 학령기가 일생을 통하여 가장 중요한 시기이므로 건강의 관점에서 보더라도 학령기의 구강건강은 생애 전 과정의 질적 생활을 좌우할 만큼 매우 중요하다. 학교 구강보건은 학생 및 교직원과 가족에게 구강보건서비스와 보건교육을 제공함으로써, 자가 구강관리능력을 향상시켜 학생은 물론 교직원, 가족, 지역사회의 구강건강을 향상시키는 사업이라고 할 수 있다.

　학생 구강보건사업의 주요사업으로는 학교 구강보건실, 학교 양치교실, 구강보건교육, 구강검진, 불소용액양치사업, 불소도포, 아동주치의 사업 등이 있다.

1) 학생 구강보건사업의 목적 및 필요성을 기술한다.

2) 학생인구의 일반적 구강보건요구 사정을 한다.

주 제	요 구 사 정
연령별 발달적 요구	

심리적 요구	
구강건강	

3) 업무지침 학교 구강보건사업 내용과 실제 학교 구강보건사업 내용을 확인한다.

구강보건법과 시행령 시행규칙의 학교 구강보건 업무	실습지 보건소 학교 구강보건 실제업무

비교분석결과

4) 실습지 보건소 학교 구강보건사업별 구강보건팀의 활동을 기록하고 학생 자신의 참여(실습) 정도를 기록한다.

학교 구강보건사업 내용	구강보건팀 업무활동 정도		학생실습참여 경험빈도
	주 활동	부 활동	관찰 또는 실습빈도

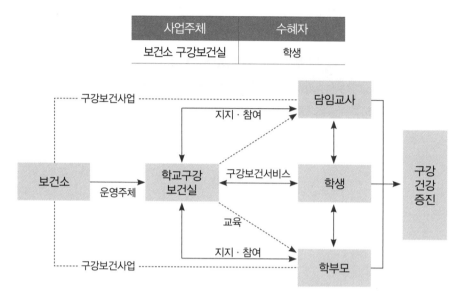

사업주체	수혜자
보건소 구강보건실	학생

그림 2-6 **학교 구강보건실 및 양치교실 운영사업**

5) 보건소 관할 학교 구강보건사업 현황을 파악한다.

6) 학교 구강보건실 운영사업

(1) 학교 구강보건실 이용실태(구강건강문제별 구강보건실 이용자 수)

구강건강문제 \ 주별	1	2	3	4	5	6	7	8	9	10	계
계											

(2) 학교 구강보건실 이용실태(학년별, 성별 구강보건실 이용자 수)

성별 \ 학년별	1	2	3	4	5	6	계
남							
여							
계							

(3) 학교 구강보건실 구강보건교육실태 파악

교육일시	교육대상	교육주제	교육방법
합계	명	건	종

(4) 학교 구강보건실 실습 1

① 실습학교의 교육목표

② 실습학교의 일반적 현황

- 학 교 명 :

- 주 소 :

- 전화번호 :

- home page :

- 학급편제

학년		1	2	3	4	5	6	특수학급	계
학급수									
학생수	남								
	여								
	계								

③ 실습학교 구강보건실 업무분장

④ 실습학교의 유관기관

• 학교 구강보건실 관련 유관기관

• _____ 교육청(실습학교 소속 시·도 교육청)

• 배치도

• 업무(구강보건 관련)

(5) 학교 구강보건실 실습 2

① 실습학교의 교육목표

② 실습학교의 일반적 현황

• 학 교 명 :

• 주 소 :

• 전화번호 :

• home page :

• 학급편제

학년		1	2	3	4	5	6	특수학급	계
학급수									
학생수	남								
	여								
	계								

③ 실습학교 구강보건실 업무분장

④ 실습학교의 유관기관

• 학교 구강보건실 관련 유관기관

• _____ 교육청(실습학교 소속 시·도 교육청)

• 배치도

• 업무(구강보건 관련)

그림 2-7 학교 구강보건실 및 양치교실

■ 구강보건교육 교안

주 제		일 시		장 소			
학습목표	1. 2. 3.						
수업방법			대상자				
학습단계	주요내용 및 활동					시간	학습자료
도 입							
전 개							

학습단계	주요내용 및 활동	시간	학습자료
전개			
요약 및 질문			

학습단계	주요내용 및 활동	시간	학습자료
전개			
요약 및 질문			

■ **구강보건교육 교안**

주 제		일 시		장 소		
학습목표	1. 2. 3.					
수업방법			대상자			
학습단계	주요내용 및 활동				시간	학습자료
도 입						
전 개						

학습단계	주요내용 및 활동	시간	학습자료
전개			
요약 및 질문			

학습단계	주요내용 및 활동	시간	학습자료
전개			
요약 및 질문			

- 현재 학교 구강보건실 업무와 운영에 대해 기술한다.

- 현재 양치교실 업무와 운영에 대해 기술한다.

3. 성인(산업장, 근로자) 구강보건사업

성인이란 일반적으로 보통 만 20세 이상의 남녀로서, 18세~65세 미만의 인구를 말한다. 성인 인구 중 18~39세까지 인구를 청년인구, 40~65세까지 인구를 장년인구로 구분하며, 생물학적 신체 변화와 여러 가지 활동으로 인하여 성인의 90%가 치주질환을 가지고 있을 만큼 구강관리가 소홀한 편이며, 특히 치주질환으로 인한 생활 불편을 가장 많이 호소하는 집단이기도 하다. 그러므로 산업장 구강보건 등의 다양한 접근을 통하여 성인의 구강건강관리를 유지, 증진시킬 수 있도록 하여야 한다.

성인 구강보건사업으로는 구강보건교육, 근로자 구강검진 사업 등이 있다.

1) 구강건강 특성

이 시기는 치아우식병 유병률은 감소하지만 치주질환이 증가하고 구강암 및 악관절 질환과 같은 구강질환 발생은 증가한다.

잘못된 칫솔질로 치경부마모증이 발생하여 치아우식병이 진행될 수 있으며, 음식물 저작과 관련하여 교모증도 발생할 수 있다.

치주질환과 관련하여 치면세마와 같은 예방처치 및 치주처치와 금연교육도 함께 이루어져야 한다.

치아손상 및 상실과 관련하여 수복물과 보철물이 구강 내에 위치하게 될 수 있으므로 이에 대한 구강건강관리를 스스로 할 수 있도록 개별구강보건교육을 시행하여야 하며, 또한 구강암 발생 요인에 대한 교육과 조기진단을 위한 정기적 구강검진의 중요성을 교육해야 할 필요가 있다.

(1) 치아우식병 및 치주질환

성인기에 치아상실의 주요 원인은 치아우식병과 치주질환이다. 이를 예방하기 위해서는 치면세균막 관리, 불량보철물 관리, 치면세마, 불소용액양치, 정기구강검진 등을 통해 계속적으로 관리를 하여야 한다.

(2) 치경부마모증 및 교모증

성인기와 노년기에 이르기까지 치경부마모증을 예방하기 위해서는 칫솔질을 횡마법으로 하지 않도록 교육하여야 하며, 교모증을 예방하기 위해서는 딱딱한 음식섭취를 절제하도록 해야 하며, 이갈이 등의 잘못된 악습관은 교정해야 한다. 실제로 교모증보다 마모증이 성인에게 더 많으며 잘

못된 칫솔질 습관을 개선할 수 있도록 하여야 한다.

(3) 구취

구강내에서 발생하는 불쾌한 냄새, 즉 입냄새를 말하며, 구강 내 불량보철물, 치아우식병, 치주질환, 치석, 음식물 잔사 등이 주원인이 된다. 특히 치주질환은 성인의 85%가 치주질환에 이환되어 있으며, 이로 인한 입냄새 또한 90% 이상이 구취를 가지고 있어 심한 경우 치과전문의와 내과 진료를 받아야 한다.

(4) 흡연, 음주

흡연자는 비흡연자에 비해 치태조절에도 불구하고 치주질환 발생 확률이 높으며, 치아를 잃을 가능성 또한 크다. 대부분 음주과정에서 흡연이 높게 발생되므로 구강건강에 문제를 일으킬 수 있으며, 금연 및 절주프로그램에 참여하거나 구강보건교육을 통해 조절할 수 있도록 하여야 한다.

(5) 구강암

성인과 노인에 이르기까지 구강암에 대한 구강관리습관과 예방을 위한 구강검진이 생활화되어야 하며, 발암물질에 노출을 피하고 구강조직에 불량보철물이나 여러 가지 요인에 의한 자극이 가해지지 않도록 해야 한다. 또한 정기적인 검진으로 구강암을 조기발견 및 치료될 수 있도록 하는 것이 중요하다.

2) 성인 구강보건사업의 목적 및 필요성을 기술한다.

3) 성인의 구강보건요구 사정을 한다.

주 제	요 구 사 정
연령별 신체적 요구사항	
심리적 요구사정	

주 제	요 구 사 정
건강 요구사정	
구강건강 요구사정	

4) 업무지침의 성인 구강보건사업 내용과 실제 성인 구강보건사업 내용을 확인한다.

구강보건법과 시행령 시행규칙의 성인(산업장) 구강보건 업무	실습지 보건소 성인(산업장) 구강보건 실제업무

비교분석결과

5) 실습지 보건소 성인(산업장) 구강보건사업별 구강보건팀의 활동을 기록하고 학생자신의 참여
   (실습) 정도를 기록한다.

교육매체 종류	구강보건팀 업무활동 정도		학생실습참여 경험빈도
	주 활동	부 활동	관찰 또는 실습빈도

▶ 금연상담 내용에 대해 기술한다.

4. 노인 구강보건사업

국가와 지방자치단체는 「노인복지법」 제27조 제1항에 따라 실시하는 건강진단과 보건교육에 구강검진과 구강보건교육을 포함하여야 한다. 이를 통하여 노인들의 구강질환을 예방하고 올바른 구강관리로 노인 치아 건강수준을 향상시킬 수 있도록 하여야 한다.

노인 구강보건사업으로는 국민기초생활보장수급 노인들을 대상으로 의치보철을 보급하여 구강기능회복에 기여하고 건강생활을 영위토록 하는 것을 목적으로 2002년도부터 시행된 노인 무료틀니사업, 노인 불소도포 및 스켈링사업, 구강보건교육, 치과임플란트 사업, 치면세균막관리 사업, 방문구강보건지도 등이 있다.

1) 노인 구강의 특징

노인의 구강문제는 구강건조증, 혀의 작열감 또는 통증, 측두하악관절통, 치주질환, 기타 구강내질환 등이 있는데, 구강질환은 흔히 영양부족, 탈수, 위축, 탄력성 감소, 조직재생능력 감퇴, 고혈압, 순환 감소, 짧은 호흡, 전신적·국소적·정신적인 변화에 의해 발생한다.

노인기에는 치아의 상실로 교합의 변화가 나타나고 음식을 씹거나 맛을 느낄 수 있는 기능이 떨어진다. 노화에 의한 구강변화에는 치주가 오그라들며 섬유화가 일어나고 잇몸이 위축되며, 치아마모가 빈번하게 나타난다. 구강점막의 변화는 주로 점막하 탄력 섬유의 소실 때문이며, 혀는 유두가 없어지면서 갈라지고 65세 이상의 50%가 혀밑의 혈관이 늘어나는 경향이 있다.

최근의 연구에 의하면 노화에 의하여 생기는 미각 변화는 그리 심하지 않으며 아미노산 소금 설탕 쓴맛 등에 대한 역치가 다소 높다고 알려져 있다. 구강건조증은 흔히 노화에 따라 생기지만 모든 노인에게 생기는 것은 아니며 삼키는 기능의 변화는 주로 질병에 의해 일어난다.

치아는 노인이 되면서 상실하게 되는데 65세 이상에서 50% 이상이, 75세 이상에서 80%가 치아가 없으며 이러한 치아손실의 주원인은 치주질환이다.

2) 노인 구강보건사업의 목적 및 필요성을 기술한다.

3) 노인의 구강보건요구 사정을 한다.

주 제	요 구 사 정
연령별 발달적 요구	
심리적 요구	

주 제	요 구 사 정
노인건강 요구사정	
구강건강 요구사정	

4) 업무지침의 노인 구강보건사업 내용과 실제사업 내용을 확인한다.

구강보건법과 시행령 시행규칙의 노인 구강보건 업무	실습지 보건소 노인 구강보건 실제업무

비교분석결과

5) 노인 대상(보호자 포함)자가 구강보건실 이용 시 주 호소내용 및 질문과 지도내용을 기술한다.

일시	방문 주 호소 내용과 질문	지도내용 및 처리내용	이론적 근거

6) 실습지 보건소 노인 구강보건사업별 구강보건팀 활동을 기록하고 학생자신의 참여(실습) 정도를 기록한다.

노인 구강보건사업 내용	구강보건팀 업무활동 정도		학생실습참여 경험빈도
	주 활동	부 활동	관찰 또는 실습빈도

5. 장애인 구강보건사업

국가와 지방자치단체는 「노인복지법」에 따른 노인복지시설 및 「장애인복지법」에 따른 장애인복지시설을 이용하거나 입소하여 생활하는 노인 및 장애인 또는 재가(在家) 노인 및 장애인을 대상으로 구강보건사업을 실시하여야 한다. 구강질환을 조기에 발견하여 적절한 치료를 받을 수 있도록 유도하고, 질환의 진행을 막아 신체적, 경제적, 시간적, 심리적 손실을 최소화할 수 있다.

장애인 구강보건사업으로는 장애인 구강진료센터 설치 사업으로 현재 우리나라에는 전국 9개 권역별로 치과대학병원 등에 장애인 구강진료센터를 설치하여 장애인 전문 치과진료 체계를 구축하고 있다.

1) 장애인 구강의 특징

장애인들은 스스로 구강관리를 할 수 없는 전신상태로 인하여 대다수 구강병에 이환된 정도가 심각하며, 근육위축으로 구강위생관리가 어려운 지체장애인의 경우 치석 침착이 심하고 인접면 우식이 많고, 저작근의 근력 저하로 저작 능력이 떨어진 경우가 많다.

또한 뇌성마비 장애인의 경우는 이갈이, 부정교합, 연하장애 등의 증상을 가지고 있으며, 탄수화물과 부드러운 음식을 많이 먹는 식습관 때문에 치아우식병에 이환되어 있는 경우가 많다.

발작성 장애인의 경우 치아 외상이나 약물로 인한 치은 비대 구강건조 등이 빈발하게 나타난다. 시각장애인의 경우 장애로 인해 치아 파절, 안면 외상 및 치면세균막 관리 부족으로 치아우식병과 치주질환 발생이 높으며, 다운증후군일 경우는 혀 내미는 습관, 이갈이 등 구강 악습관이 많이 나타난다. (공중구강보건학 제 4판 참고하였음)

2) 장애인 구강보건사업의 목적 및 필요성을 기술한다.

3) 장애인의 구강보건요구 사정을 한다.

주 제	요 구 사 정
장애인별 신체적 요구	
장애인별 심리적 요구	
장애인별 구강건강 요구	

4) 장애인과 장애인 보호 대상자가 구강보건실 이용 시 주 호소내용 및 질문과 지도내용을 기술한다.

일시	방문 주 호소 내용과 질문	지도내용 및 처리내용	이론적 근거

5) 실습지 보건소 장애인 구강보건사업별 구강보건팀 활동을 기록하고 학생자신의 참여(실습) 정도를 기록한다.

장애인 구강보건사업내용	구강보건팀 업무활동 정도		학생실습참여 경험빈도
	주 활동	부 활동	관찰 또는 실습빈도

6) 실습지 관할지역 장애인 구강보건사업 지원체계를 파악한다.

대상자 구강보건사업	사회복지관련기관	자원봉사 지원내용

구강보건사업 실습

1. 불소이용 우식예방 사업

1) 불소용액 양치
(1) 목적: 불소용액 양치를 통한 치아우식병 예방효과 극대화 및 자조적 구강건강관리 능력 배양

(2) 사업대상: 수돗물 불소농도조정사업을 실시하지 않는 지역의 초등학교, 중학교, 특수학교 전체학생

(3) 사업방법: 사업 대상자 및 보건교사, 보호자 등을 대상으로 사업의 효과 및 불소 활용에 대한 올바른 인식 확립을 위한 구강보건교육 선 수행

※ 불화나트륨용액 사용
- 0.05% 불화나트륨(NaF)용액의 경우 매일 1회 실시
- 0.2% 불화나트륨(NaF)용액의 경우 주 1회 실시

2) 불소도포
(1) 목적: 치아우식병(충치)에 취약한 아동에게 불소도포를 시행함으로써 치아우식병(충치) 예방효과를 극대화하고자 함

(2) 사업대상: 15세 이하 아동(우선대상자* 고려)

* 우선대상자
- 저소득층 아동
- 우식발생 가능성이 높은 아동
- 우식이 다수 발생된 아동
- 아직 광화가 불완전한 영구치가 새로 맹출한 아동
- 치열이 변화하는 시기인 3, 7, 10, 13세 아동

※ 생활터 및 사회복지시설 기관 등을 방문하여 불소도포하는 것을 권장함

※ 취약계층 아동의 경우 어린이 불소도포 사업과 치아홈메우기를 함께 병행하는 것을 권장함

(3) 사업방법: 대상자 구강건강 상태 등 확인 후 처치 시행

불소 겔 도포, 불소 바니쉬 도포, 불소이온 도입

※ 치아에 직접 도포, 트레이, 이온도포기 이용 도포

3) 수돗물 불소농도 조정사업

(1) 목적: 정수장에 불소첨가기를 설치, 수돗물 불소농도를 적정농도(0.8 ppm : 0.8mg/ℓ)로 조정하여 지역주민에게 음용하게 함으로써 치아우식병을 예방하여 국민구강 건강증진에 기여하고자 함

(2) 사업대상: 정수장

(3) 사업방법: 공청회나 여론조사 등을 통하여 관계 지역주민의 의견을 수렴하고, 그 결과에 따라 시행 또는 중단할 수 있음(구강보건법 제10조)

불소이용 우식예방 사업 자가평가표

영역	진 단 문 항	자가진단		
		우수 3점	보통 2점	미흡 1점
지식	1. 불소이용 우식예방 사업의 목적을 설명할 수 있다.			
	2. 불소이용 우식예방 사업의 효과를 설명할 수 있다.			
	3. 불소이용 우식예방 사업의 대상자를 선택할 수 있다.			
기술	4. 불소이용 우식예방 사업에 필요한 기자재를 준비할 수 있다			
	5. 불소이용 우식예방 사업 종류에 따른 술식을 순서대로 적용할 수 있다.			
	6. 불소이용 우식예방 사업 후 주의사항에 관하여 설명할 수 있다.			
태도	7. 구성원들과의 역할분담과 협조가 잘 이루어졌는가?			
	8. 지역사회주민을 사랑과 봉사의 정신으로 대하였는가?			
	9. 치위생(학)과 학생으로서 책임감 있고 성실하게 실습에 임하였는가?			
	10. 치위생(학)과 학생으로서의 태도를 충분히 의식하고 행동하였는가? (복장, 언행 등)			
	총 점(30점)			점

지역사회 구강보건 실습일지

일 자	20 년 월 일	평가자	(인)
장 소			
참석인원			
대 상 자			
실습과정 및 내용			
실습사진			

실습관련 자료	
실습소감	

지역사회 구강보건 실습일지

일 자	20 년 월 일	평가자	(인)
장 소			
참석인원			
대 상 자			
실습과정 및 내용			
실습사진			

실습관련 자료	
실습소감	

2. 취약계층 치아홈메우기 사업

(1) 목적: 치아우식병이 많이 발생하는 취약계층 아동들의 구치(어금니) 교합면의 홈을 메워주
는 예방처치를 실시하여, 취약계층 아동의 구강건강증진을 도모하고 지역사회의 건강형평
확보에 기여하기 위함

(2) 사업대상: 보건소장 및 학교장이 치아홈메우기가 필요하다고 인정하는 취약계층 아동(저소
득, 혹은 보호가 취약한 아동)

(3) 대상치아:

– 치아우식병이 발생하지 않은 영구치(제1대구치 우선)

– 이미 전색한 치아 중 전색재가 탈락 또는 파절되고 치아우식병이 발생하지 않은 영구치

치아홈메우기 사업 자가평가표

영역	진 단 문 항	자가진단		
		우수 3점	보통 2점	미흡 1점
지식	1. 치아홈메우기 사업의 목적을 설명할 수 있다.			
	2. 치아홈메우기 사업의 효과를 설명할 수 있다.			
	3. 치아홈메우기 사업 대상 치아를 선택 할 수 있다.			
기술	4. 치아홈메우기에 필요한 기자재를 준비할 수 있다			
	5. 치아홈메우기에 따른 술식을 순서대로 적용할 수 있다.			
	6. 치아홈메우기 사업 후 주의사항에 관하여 설명할 수 있다.			
태도	7. 구성원들과의 역할분담과 협조가 잘 이루어졌는가?			
	8. 지역사회주민을 사랑과 봉사의 정신으로 대하였는가?			
	9. 치위생(학)과 학생으로서 책임감 있고 성실하게 실습에 임하였는가?			
	10. 치위생(학)과 학생으로서의 태도를 충분히 의식하고 행동하였는가? (복장, 언행 등)			
	총 점(30점)			점

3. 학교 구강보건실 사업

(1) 목적: 초등학교 혹은 특수학교에 구강보건실을 설치·운영함으로써, 예방 서비스 위주의 계속구강건강관리를 실시하고, 바른양치실천과 불소용액양치 등의 구강건강증진사업의 활성화를 유도하여, 어린이의 구강건강을 보다 효과적으로 향상시키는데 기여하고자 함

(2) 사업대상: 초등학생 및 특수학교 학생

(3) 사업방법

- 구강보건실 역할: 초등학교 또는 특수학교에 구강보건실 운영함으로써 해당 학교에서 구강보건사업 활성화
  - 구강보건실에 설치된 유니트 체어와 장비 등을 이용하여, 전 학년 학생을 대상으로 불소도포, 치아홈메우기, 전문가 치면세정술 등의 구강보건 사업 수행
  - 구강보건실에서 개별 구강보건교육과 바른양치(칫솔질) 실습교육을 실시하여, 학교에서 바른양치 및 불소용액양치사업 활성화 유도
- 인력과 조직: 보건소에 근무하는 치과의사와 치과위생사가 주 1회 이상 출장업무
  - 특수학교와 같이 보다 전문적인 진료가 요구될 경우 또는 보건소에 치과의사가 없는 경우 민간 치과의사의 참여 가능: 보건소의 학교 구강보건사업 혹은 건강증진사업 담당자와 학교 보건교사와의 긴밀한 협조체계 구축
  - 학교장과 학교운영위원회의 전폭적 지지 유도
- 구강보건실 수행 업무: 구강질병관리업무(계속구강건강관리)
  - 구강보건실 설치 후 관리학년을 순차적으로 증가시켜 전체 학생들 모두에게 매년 정기 구강검진, 불소도포, 치아홈메우기, 치면세정술, 스케일링 등의 예방서비스를 계속적으로 제공
    정기 구강검진 결과에 따라, 초기 우식증 치료, 초기 잇몸병 치료, 유치 발거 등의 초기치료서비스를 제공
  - 학생들에게 구강검진 결과에 따른 치과의료서비스를 제공하기 위해서는 학생의 보호자(법정 대리인)에게 구강진료 및 개인정보 처리 동의서[참고 11]를 사전에 제출받아야 하고, 서비스 제공 후에 그 결과를 반드시 통보[참고 12]하여야 함
  - 구강보건실에서 개별 구강보건교육과 바른양치(칫솔질) 실습교육을 실시하여, 학교에서 식후 바른양치 및 불소용액양치사업 활성화 유도

학교 구강보건실 사업 자가평가표

영역	진단 문 항	자가진단		
		우수 3점	보통 2점	미흡 1점
지식	1. 학교 구강보건실 사업의 목적을 설명할 수 있다.			
	2. 학교 구강보건실 사업의 효과를 설명할 수 있다.			
	3. 학교 구강보건실 사업의 대상자를 선택할 수 있다.			
기술	4. 학교 구강보건실 사업에 필요한 기자재를 설명할 수 있다.			
	5. 학교 구강보건실 사업 대상자에 따른 술식을 순서대로 적용할 수 있다.			
	6. 학교 구강보건실 사업 후 주의사항에 관하여 설명할 수 있다.			
태도	7. 구성원들과의 역할분담과 협조가 잘 이루어졌는가?			
	8. 지역사회주민을 사랑과 봉사의 정신으로 대하였는가?			
	9. 치위생(학)과 학생으로서 책임감 있고 성실하게 실습에 임하였는가?			
	10. 치위생(학)과 학생으로서의 태도를 충분히 의식하고 행동하였는가? (복장, 언행 등)			
총 점(30점)				점

지역사회 구강보건 실습일지

일 자	20 년 월 일	평가자	(인)
장　소			
참석인원			
대 상 자			
실습과정 및 내용			
실습사진			

실습관련 자료	
실습소감	

지역사회 구강보건 실습일지

일 자	20 년 월 일	평가자	(인)
장 소			
참석인원			
대 상 자			
실습과정 및 내용			
실습사진			

실습관련 자료	
실습소감	

4. 학교 양치교실 사업

(1) 목적: 초등학교 및 특수학교 또는 지역아동센터 아동의 구강건강 예방활동(칫솔질 등)의 접근성 확보를 통해 구강건강증진을 보다 효과적으로 운영하고자, 물적 자원 (양치시설)을 설치하여 양치환경조성을 도모하고, 초등학교, 특수학교 및 지역아동센터에 설치된 양치시설을 운영함으로써, 생활공간에서의 바른양치실천을 습관화하도록 유도하여, 아동의 구강건강증진을 향상시키고자 함

(2) 사업대상: 초등학생 및 특수학교(취약지역 우선), 지역아동센터 학생

(3) 사업방법

- 학교 양치시설 설치 조건에 충족하도록 양치시설을 설치
- 보건소가 제안하는 시설 기준에 따라 협의하여 학교가 주도적으로 양치시설을 설치
- 양치시설은 상시 개방하여 언제든지 사용 가능토록 하여야 함
- 각 학급별 칫솔질 관찰판을 부착하여 식후 칫솔질 실천율 증대
- 생활습관 개선을 통해 건강한 학교생활을 선도하고 칫솔질 시 거울을 통한 관찰로 올바른 칫솔질 학습이 가능
- 양치시설을 효율적으로 운영하기 위해, 보건소에 봉사인력으로 등록된 자, 학부모 봉사자, 지역사회 대학(교) 치위생(학)과 학생 및 중·고등학생의 봉사동아리 등과 연계하여 양치시설을 운영

학교 양치교실 사업 자가평가표

영역	진 단 문 항	자가진단		
		우수 3점	보통 2점	미흡 1점
지식	1. 학교 양치교실 사업의 목적을 설명할 수 있다.			
	2. 학교 양치교실 사업의 효과를 설명할 수 있다.			
	3. 학교 양치교실 사업의 대상자를 선택할 수 있다.			
기술	4. 학교 양치교실 사업에 필요한 기자재를 설명할 수 있다.			
	5. 학교 양치교실 사업 대상자에 따른 술식을 순서대로 적용할 수 있다.			
	6. 학교 양치교실 사업 후 주의사항에 관하여 설명할 수 있다.			
태도	7. 구성원들과의 역할분담과 협조가 잘 이루어졌는가?			
	8. 지역사회주민을 사랑과 봉사의 정신으로 대하였는가?			
	9. 치위생(학)과 학생으로서 책임감 있고 성실하게 실습에 임하였는가?			
	10. 치위생(학)과 학생으로서의 태도를 충분히 의식하고 행동하였는가? (복장, 언행 등)			
	총 점(30점)			점

지역사회 구강보건 실습일지

일 자	20 년 월 일	평가자	(인)
장 소			
참석인원			
대 상 자			
실습과정 및 내용			
실습사진			

실습관련 자료	
실습소감	

지역사회 구강보건 실습일지

일　자	20　년　　월　　일	평가자	(인)
장　소			
참석인원			
대 상 자			
실습과정 및 내용			
실습사진			

실습관련 자료	
실습소감	

5. 학생아동 주치의 사업

(1) 목적: 영구치 교환시기인 초등학생 아동을 대상으로 스스로의 구강건강관리능력을 향상시킬 뿐만 아니라, 구강건강에 대한 자기주도적 책임감을 강화시켜, 아동들에게 계속적인 예방 및 구강건강관리 서비스를 우선적으로 제공함으로써 평생의 구강건강 증진에 기여

(2) 사업대상:

(3) 사업방법:

- 구강검진: 문진, 구강위생검사(PHP 검사), 방사선사진 촬영
- 개별 구강보건교육
  : 구강위생관리, 바른 식습관, 불소이용법, 금연/절주, 칫솔질·치실질
- 예방진료: 전문가 구강위생관리, 불소도포, 치아홈메우기, 치석제거(단순 스케일링)
- 구강질환 치료(저소득층 아동): 충전, 치수/치근단 치료, 발치 등

학생아동 주치의 사업 자가평가표

영역	진단문항	자가진단		
		우수 3점	보통 2점	미흡 1점
지식	1. 학생아동 주치의 사업의 목적을 설명할 수 있다.			
	2. 학생아동 주치의 사업의 효과를 설명할 수 있다.			
	3. 학생아동 주치의 사업의 대상자를 선택할 수 있다.			
기술	4. 학생아동 주치의 사업에 필요한 서류를 설명할 수 있다.			
	5. 학생아동 주치의 사업에 필료한 서류를 순서대로 적용할 수 있다.			
	6. 학생아동 주치의 사업 후 주의사항에 관하여 설명할 수 있다.			
태도	7. 구성원들과의 역할분담과 협조가 잘 이루어졌는가?			
	8. 지역사회주민을 사랑과 봉사의 정신으로 대하였는가?			
	9. 치위생(학)과 학생으로서 책임감 있고 성실하게 실습에 임하였는가?			
	10. 치위생(학)과 학생으로서의 태도를 충분히 의식하고 행동하였는가? (복장, 언행 등)			
	총 점(30점)			점

지역사회 구강보건 실습일지

일 자	20 년 월 일	평가자	(인)
장 소			
참석인원			
대 상 자			
실습과정 및 내용			
실습사진			

실습관련 자료	
실습소감	

지역사회 구강보건 실습일지

일 자	20 년 월 일	평가자	(인)
장 소			
참석인원			
대 상 자			
실습과정 및 내용			
실습사진			

실습관련
자료

실습소감

6. 노인 불소도포 및 스켈링 사업

(1) 목적: 치주질환 발생이 가장 많은 노인들에게 스케일링 또는 전문가치면세정술을 하여 잇몸 질환의 진행을 억제하고, 불소도포를 하여 치근면 우식예방 및 시린이를 방지하기 위함

(2) 사업대상: 만 65세 이상 노인(저소득층 우선)

(3) 사업방법

    − 보건소(보건지소 포함)에서 치과의사(공중보건치과의사)의 지도하에 치과위생사가 실시

    − 대상자 구강건강상태, 전신상태 등에 따라 적절한 처치시행

    − 스케일링 및 불소도포 방법

       • 치주처치방법 : 스케일링 또는 전문가 치면세정술

          ▶ 스케일링 : 치아의 동요도가 없는 경우

          ▶ 전문가 치면세정술 : 치아의 동요도가 있는 경우

       • 불소도포 방법 : 치아에 직접 도포, 트레이, 이온도포기 이용 도포

    − 치아 직접 도포 : 치아 수가 적은 경우(10개 이내)

    − 불소 활용에 대한 구강보건교육 선행

    − 사업 대상자 및 보호자 등을 대상으로 사업의 효과 및 불소 활용에 대한 올바른 인식 확립을 위한 구강보건교육 선 수행

    − 사업대상자에게 안내문 발송

    − 노인 불소도포·스케일링사업의 원활한 추진을 위하여 대상자에게 안내문을 배부하여 사전에 신청을 받아 시행

    − 기록관리

    − 기록부에 시술일자, 성명, 나이 등을 정확히 기록 관리

노인 불소도포 및 스켈링 사업 자가평가표

영역	진단 문항	자가진단		
		우수 3점	보통 2점	미흡 1점
지식	1. 노인 불소도포 및 스켈링 사업의 목적을 설명할 수 있다.			
	2. 노인 불소도포 및 스켈링 사업의 효과를 설명할 수 있다.			
	3. 노인 불소도포 및 스켈링 사업의 대상자를 선택할 수 있다.			
기술	4. 노인 불소도포 및 스켈링 사업에 필요한 기자재를 설명할 수 있다.			
	5. 노인 불소도포 및 스켈링 사업 대상자에 따른 술식을 순서대로 적용할 수 있다.			
	6. 노인 불소도포 및 스켈링 사업 후 주의사항에 관하여 설명할 수 있다.			
태도	7. 구성원들과의 역할분담과 협조가 잘 이루어졌는가?			
	8. 지역사회주민을 사랑과 봉사의 정신으로 대하였는가?			
	9. 치위생(학)과 학생으로서 책임감 있고 성실하게 실습에 임하였는가?			
	10. 치위생(학)과 학생으로서의 태도를 충분히 의식하고 행동하였는가? (복장, 언행 등)			
총 점(30점)				점

지역사회 구강보건 실습일지

일 자	20 년 월 일		평가자	(인)
장 소				
참석인원				
대 상 자				
실습과정 및 내용				
실습사진				

실습관련
자료

실습소감

지역사회 구강보건 실습일지

일 자	20 년 월 일	평가자	(인)
장 소			
참석인원			
대 상 자			
실습과정 및 내용			
실습사진			

실습관련
자료

실습소감

7. 노인 의치(틀니) 사업

(1) 목적: 치아의 결손으로 음식물 섭취가 자유롭지 못한 저소득층 노인들을 대상으로 의치(틀니)를 보급하여 구강기능 회복에 기여하고 건강생활을 영위토록 함

(2) 사업대상: 만 65세 이상 국민기초생활수급자 및 차상위건강보험전환자

※ 차상위건강보험전환자(차상위본인부담경감대상자): '08년 국민건강보험법 개정에 따라 이전 '차상위 의료급여'에서 건강보험으로 전환된 희귀난치성질환자, 만성질환자

※ 보건복지사업 연령산정 기준 표준화로 '출생월 기준'으로 만 나이 산정

(3) 사업방법: 완전의치(틀니)·부분의치(틀니) 시술 비용 및 사후관리비 지원

- 노인의치(틀니)
  - 저소득층 노인들을 대상으로 의치(틀니)를 제작하여 보급
  - 지원대상 및 지원범위: 만 65세 이상 국민기초생활수급자 및 차상위건강보험전환자
  - 건강보험, 의료급여 비적용 대상자 (만 65세 이상~만 74세 이하)
    : (완전틀니) 기준 금액 범위 내에서 전액 지원
    : (부분틀니) 기준 금액 범위 내에서 전액 지원
    : 건강보험, 의료급여 적용 대상자 (만 75세 이상): (완전틀니) 의료급여 및 건강보험 급여 적용 후 본인부담금 지원
    * 210,260~315,400원 수준(의원급, 지원수준이 상이한 자격으로의 변동이 없을 시)이며, (부분틀니) 의료급여 및 건강보험 급여 적용 후 본인부담금 및 지대치 보철금액 지원
  - ※ 보건소사업 차상위건강보험전환자의 경우, 국민기초생활수급자와 지원 금액이 동일 (희귀난치질환자 20%, 만성질환자 등 30%)
  - ※ 단, 충분한 사업대상자 발굴 노력에도 불구하고(당해년도 9월30일까지) 만65세 이상 사업대상자가 부족할 시, 1-3급 등록장애인 중 기초생활수급자 및 차상위본인부담경감대상자(연령제한 없음), 만 65세 이상 사실생계곤란자로서 의치(틀니)가 필요하다고 보건소장이 인정한 자를 적극 발굴하여 사업을 수행할 것.
- 노인의치(틀니) 사후관리
  - 지원내용: 사업의 지원을 받아 제작된 노인의치(틀니)의 사후관리에 필요한 비용지원
- 지원단가(편악 기준): 시술 후 1년간은 무료 관리

※ 시술기관과 시술 협약 시 무료사후관리(1년) 조항을 상기시키고, 보건소에서는 사후관리 대장을 만들어 6개월 주기로 3년간 사용여부를 관리

무료 관리기간(1년) 이후부터 4년 이내에 발생하는 사후관리 비용 일부지원(1년에 최대 20만원)

※ 「건강보험 행위 급여·비급여 목록표 및 급여 상대가치점수(고시)」 준용

• 만 65세 이상~만 74세 이하 대상자

    – (완전틀니 및 부분틀니) 무료 기간(1년) 이후부터 4년간 사후관리 시 소요되는 일부 비용에 대해 1인당 한해 최대 20만원 지원가능

• 만 75세 이상 대상자

    – (완전·부분틀니) 의료급여 및 건강보험 급여 적용 후 본인부담금 지원*

    (1인당 최대 20만원/연)

    * 나머지 비용은 건강보험심사평가원에 급여비용 청구

노인 의치(틀니) 사업 자가평가표

영역	진 단 문 항	자가진단		
		우수 3점	보통 2점	미흡 1점
지식	1. 노인 의치(틀니) 사업의 목적을 설명할 수 있다.			
	2. 노인 의치(틀니) 사업의 효과를 설명할 수 있다.			
	3. 노인 의치(틀니) 사업의 대상자를 선택할 수 있다.			
기술	4. 노인 의치(틀니) 사업에 필요한 기자재를 설명할 수 있다.			
	5. 노인 의치(틀니) 사업 대상자에 따른 술식을 순서대로 적용할 수 있다.			
	6. 노인 의치(틀니) 사업 후 주의사항에 관하여 설명할 수 있다.			
태도	7. 구성원들과의 역할분담과 협조가 잘 이루어졌는가?			
	8. 지역사회주민을 사랑과 봉사의 정신으로 대하였는가?			
	9. 치위생(학)과 학생으로서 책임감 있고 성실하게 실습에 임하였는가?			
	10. 치위생(학)과 학생으로서의 태도를 충분히 의식하고 행동하였는가? (복장, 언행 등)			
	총 점(30점)			점

지역사회 구강보건 실습일지

일 자	20 년 월 일	평가자	(인)
장 소			
참석인원			
대 상 자			
실습과정 및 내용			
실습사진			

실습관련
자료

실습소감

지역사회 구강보건 실습일지

일 자	20 년 월 일		평가자	(인)
장 소				
참석인원				
대 상 자				
실습과정 및 내용				
실습사진				

실습관련
자료

실습소감

8. 구강보건교육 사업 (치면세균막관리 사업)

(1) 목적: 구강건강의 중요성과 관리방법에 관한 교육을 실시하고, 이를 위한 사업 및 교육 등을 홍보함으로써 지역주민의 구강건강인식을 제고하고 바른 구강건강 습관형성 및 구강건강위험 행태를 개선하고자 함

(2) 사업대상: 생애주기별 및 생활터별 전체 주민

※ 생애주기별 및 생활터별로 나누어 실시하되, 대상 집단 특성 및 상황에 따라 보다 세분화할 수 있음

* 예: 노인(경로당, 노인대학, day care center 등), 성인(임산부, 군인 등), 청소년(중학생, 고등학생 등), 아동(유아, 초등학생 등)

(3) 사업방법:

• 생애주기별 및 생활터별 구강보건교육

• 지역 내 민간 협력체계 강화

• 지역 내 구강보건사업 전문가 참여 강화: 보건소 인력(사업 담당자 또는 기간제 전문 인력), 지역 내에서 양성된 구강보건 교육자(인력풀 확보, 유급강사 활용), 지역 내 구강보건 전문가(대학, 민간 병(의)원 등)와 협력체계 구축

• 지역 내 구강보건사업 지원자 양성 및 주민 자조모임 지원

– 지역 내 자원봉사센터 및 유관 기관과의 연계를 통해 구강보건 자원봉사인력*을 구강보건교육사업에 활용함으로써 사업을 활성화하고, 스스로 구강건강을 관리하는 주민의 수 확대

교육자가 학습자와 대면하여 구강보건에 관한 지식과 태도 및 행동을 변화시키고자 하는 교육

* 구강보건 자원봉사인력 대상

▶ 기관 보건 책임자(학교장, 보건교사, 사업장 보건책임자 등)

▶ 유아교육기관 교사

▶ 지역사회 내 영향력을 가진 자(이장, 통반장, 부녀회장 등)

▶ 지역 내 자원봉사단체

▶ 구강보건사업에 관심이 있는 자원봉사자 및 일반 지역주민

• 구강건강의 중요성과 구강질환예방의 필요성에 대한 인식을 고취하고 동기를 부여할 수 있는 정보제공

구강보건교육 사업 자가평가표

영역	진단문항	자가진단		
		우수 3점	보통 2점	미흡 1점
지식	1. 구강보건교육 사업의 목적을 설명할 수 있다.			
	2. 구강보건교육 사업의 효과를 설명할 수 있다.			
	3. 구강보건교육 사업의 대상자를 선택할 수 있다.			
기술	4. 구강보건교육 사업 대상자에 따라 필요한 교육배체를 제작할 수 있다.			
	5. 구강보건교육 사업 대상자에 따라 올바른 구강보건교육을 할 수 있다.			
	6. 구강보건교육 사업 후 주의사항에 관하여 설명할 수 있다.			
태도	7. 구성원들과의 역할분담과 협조가 잘 이루어졌는가?			
	8. 지역사회주민을 사랑과 봉사의 정신으로 대하였는가?			
	9. 치위생(학)과 학생으로서 책임감 있고 성실하게 실습에 임하였는가?			
	10. 치위생(학)과 학생으로서의 태도를 충분히 의식하고 행동하였는가? (복장, 언행 등)			
	총 점(30점)			점

지역사회 구강보건 실습일지

일 자	20 년 월 일	평가자	(인)
장 소			
참석인원			
대 상 자			
실습과정 및 내용			
실습사진			

실습관련
자료

실습소감

지역사회 구강보건 실습일지

일 자	20 년 월 일	평가자	(인)
장 소			
참석인원			
대 상 자			
실습과정 및 내용			
실습사진			

실습관련
자료

실습소감

※ 구강보건교육 교안

교육주제		교육방법	
교육대상		교육시간	
학습목표			

학습단계	학습 요소	교수-학습내용		시간	자료 및 유의점
도 입					

128

전 개					
정 리					

구강보건교육 시나리오

참고자료
- 2017년 지역사회 통합건강증진사업 안내 보건복지부 한국건강증진개발원 발간번호 11-1352000-000873-10
- 2015년 보건소 의치(틀니)사업안내 보건복지부 발간등록번호 11-1352000-000859-10

IV 구강보건사업 기획

1. 구강보건사업 기획

기획(企劃)이란 성취할 목적을 설정하고 설정한 목적에 이르는 방법을 결정하며 방법에 따라서 목적을 달성하기 위한 절차를 설계하는 과정이다. 이러한 기획을 거쳐 작성된 문서를 계획(計劃)이라고 한다. 지역사회의 모든 개발사업과 마찬가지로, 구강보건사업도 치밀한 계획에 의거하여 수행할 경우에 보다 큰 효과를 기대할 수 있다.

2. 구강보건사업 기획 전 검토사항

구강보건사업 기획과정은 목적 설정, 방법 결정, 절차 설계의 순서로 진행된다.

구강보건사업 기획 전 검토사항에는

- 어떤 목적을 달성하기 위하여 기획할 것인가?
- 무엇을 기획할 수 있는가?
- 누가 기획할 것인가?
- 누구를 위하여 기획할 것인가?
- 어떠한 방법으로 기획할 것인가?

3. 구강보건사업 기획과정

1) 목적 설정

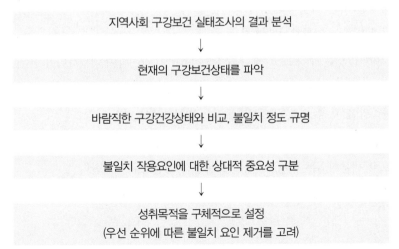

지역사회 구강보건 실태조사의 결과 분석
↓
현재의 구강보건상태를 파악
↓
바람직한 구강건강상태와 비교, 불일치 정도 규명
↓
불일치 작용요인에 대한 상대적 중요성 구분
↓
성취목적을 구체적으로 설정
(우선 순위에 따른 불일치 요인 제거를 고려)

2) 방법 결정

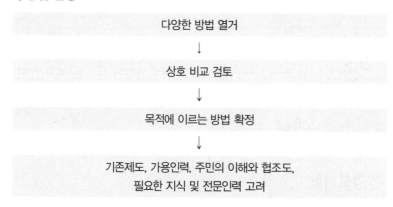

다양한 방법 열거
↓
상호 비교 검토
↓
목적에 이르는 방법 확정
↓
기존제도, 가용인력, 주민의 이해와 협조도,
필요한 지식 및 전문인력 고려

3) 절차 설계

일별 시간 배정
↓
업무 편제 작성
↓
직무배당

4. 구강보건사업 기획과정에 고려하여야 할 사항

- 기획은 연속성과 융통성을 갖는 지속적 과정이어야 한다.
- 관련 지역사회 주민들과 더불어 기획하여야 한다.
- 지역사회 주민들이 인지하고 있는 구강보건문제나 구강보건욕구에 근거하여 기획하여야 한다.
- 지역사회 실정에 근거하여 기획하여야 한다.
- 지역사회 주민에게 만족감을 줄 수 있는 구강보건목적을 명시하여야 한다.
- 사업의 진척도와 성과를 정확히 측정할 수 있는 방법을 제시하여야 한다.
- 잡다한 활동과 기능으로 세분화되는 구강보건사업을 통합적 과정으로 기획한다.
- 사업수행과정에 원활하게 협조를 받을 수 있도록 교육적 과정으로 기획하여야 한다.

5. 구강보건사업 기획 사례

● 사례 1

2016년 구강보건사업 추진계획

```
□ 개 요
  ○ 대  상 : 지역주민
  ○ 예  산 : 300,088천원
            (기47,148, 도114,979, 시137,961)
  ○ 내  용
    ▶ 치과 의료비 지원 사업
    ▶ 구강건강 예방 사업
    ▶ 불소도포 및 스케일링 사업
```

2016년 구강보건사업 추진계획

| 의료소외 계층 중심으로 구강건강인식을 제고하고 구강건강위험 행태 개선 |

1. 사업개요
○ 기 간 : 2016. 1월 ~ 12월
○ 대 상 : 지역주민
○ 사 업 비 : 300,088천원(기47,148, 도114,979, 시137,961)
○ 주요 내용
  - 치과 의료비 지원 사업
  - 구강건강 예방사업
  - 불소도포 및 스케일링 사업
○ 법적 근거
  - 국민건강증진법 제18조
  - 구강보건법
  - 경상남도 노인 구강보건사업 지원 조례
  - 장애인 복지 법 제6조(중증 장애인의 보호)

2. 현 황
○ 인구현황
(단위 : 명)

구분	총인구수	0~19세	20~39세	40~59세	60~64세	65세 이상
계	301,291	67,349	83,357	102,701	15,498	32,386

※ 자료 원 : ○○시청 통계자료(2015.12.31.기준)

○ 취약계층 현황
(단위 : 명)

구분	총인구수	취약계층			비고
		계	중증장애인수	기초생활수급자	
전 체	301,291	21,753	13,182	8,571	

※ 자료 원 : ○○시청 주민생활지원과 자료(2015.12.31.기준)

○ 지역자원 현황
(단위 : 개소)

계	초등학교	중학교	고등학교	대학교	노인관련시설	장애인복지시설	사회복지시설	의료기관(치과)	복지관
488	35	14	11	3	267	17	76	63	2

※ 자료 원 : ○○시청 통계자료(2015.12.31.기준)

3. 세부사업 추진 계획
가. 의치보철지원 사업
  1) 노인의치(틀니) 사업
  ○ 기 간 : 2월 ~ 6월
  ○ 대 상 : 만 65세 이상 의료급여 수급자 및 차상위 건강보험 전환자
  ○ 사 업 량 : 24명 (전부 및 부분의치), 22명 (사후관리)
  ○ 예 산 : 52,392천원 (기금 50%, 도비 25%, 시비 25%)
  ○ 내 용 : 전부의치, 부분의치 시술·비용 및 사후관리비 지원
  2) 어르신 틀니 보급사업
  ○ 기 간 : 2월 ~ 12월
  ○ 대 상 : 만65세 이상 의료급여 수급자 및 건강보험료 3개월 평균 저 소득자 우선순위
  ○ 사 업 량 : 70명 (전부 및 부분의치), 30명 (사후관리)
  ○ 예 산 : 167,700천원 (도비 50%, 시비 50%)
  ○ 내 용 : 전부의치, 부분의치 시술 비용 및 사후관리비 지원

  3) 중증 장애인 치과 진료비 지원 사업
  ○ 기 간 : 2월 ~ 12월
  ○ 대 상 : 중증 장애인(1급-3급) 중 의료급여 수급자 및 차상위계층
  ○ 사 업 량 : 18명
  ○ 예 산 : 23,490천원 (도비 50%, 시비 50%)
  ○ 내 용 : 전부의치, 부분의치, 크라운, 레진지원, 사후관리비 지원

나. 통합건강증진사업
  1) 구강보건 교육 및 홍보
  ○ 기 간 : 1월 ~ 12월
  ○ 대 상 : 지역주민
  ○ 사 업 량 : 34,000명
  ○ 예 산 : 4,000천원 (시비100%)
  ○ 내 용
    - 예방서비스 위주의 계속 구강건강관리 및 개별 및 단체구강보건교육
    - 구강보건의 날 행사(인형극 공연 등)
  2) 어린이 불소도포
  ○ 기 간 : 3월 ~ 12월
  ○ 대 상 : 미취학아동, 지역아동센터 등 의료소외계층 아동
  ○ 사 업 량 : 5,800명
  ○ 예 산 : 1,500천원
  ○ 내 용 : 불소바니쉬 및 불소겔 도포
  3) 노인불소도포 및 스케일링
  ○ 기 간 : 2월 ~ 12월
  ○ 대 상 : 만 65세 이상 어르신 (저소득층 우선)
  ○ 사 업 량 : 720명
  ○ 예 산 : 20,953천원 (기금 50%, 도비 25%, 시비 25%)
  ○ 내 용 : 만 65세 이상 어르신 불소도포 및 스케일링, 틀니세척
  4) 장애인 구강 진료사업
  ○ 기 간 : 2월 ~ 12월
  ○ 대 상 : 장애인
  ○ 사 업 량 : 600명
  ○ 예 산 : 20,953천원 (기금 50%, 도비 25%, 시비 25%)
  ○ 내 용 : 스케일링, 전문가 치면 세정술, 불소도포, 구강보건교육 등
  5) 학교구강보건실 및 양치교실운영
  ○ 기 간 : 3월 ~ 12월
  ○ 대 상 : 양산초, 물금초, 서창초, 소토초 전교생
  ○ 사 업 량 : 1,200명
  ○ 예 산 : 7,900천원 (시비100%)
  ○ 내 용 : 바른 양치실천과 예방서비스 위주의 계속구강건강관리
  6) 불소용액양치사업
  ○ 기 간 : 1월 ~ 12월
  ○ 대 상 : 지역주민
  ○ 사 업 량 : 4,800명
  ○ 내 용 : 바른 잇솔질 교육 및 불소용액 배부

4. 자체평가방안

구 분	내 용
구조평가(20점)	- 시기 : 매년 말(12월) - 항목 : 사업목표, 조직 및 인력, 시설장비, 예산 - 방법 : 항목별 적절 또는 부적절 평가
결과평가(80점)	- 시기 : 매년 말(12월) - 자료 : 계획서, 과정 및 결과평가서, 사업실적, 보고서 및 사진 등 - 방법 : 목표량 대비 실적 점수화(60%이상-하/75%이상-중/90%이상-상)

5. 추진일정

세부 사업내용	추진일정(월)											
	1	2	3	4	5	6	7	8	9	10	11	12
의치보철사업												
구강보건교육 및 홍보												
어린이 불소도포												
노인 불소도포 및 스켈링												
장애인구강진료												
학교구강보건실 및 양치교실운영												
불소용액양치사업												

6. 기대효과
○ 취약계층별 예방중심 구강질환 관리로 지역주민의 구강건강 형평성 확보
○ 예방중심의 평생치아건강관리체계 강화로 구강건강관련 삶의 질 향상.

● 사례 2

- 지역주민의 구강건강증진을 위한 -
2017년도 구강보건사업 계획

≪ 사 업 요 약 ≫

- □ 사업근거 : 구강보건법, 국민건강증진법
- □ 사업기간 : 2017. 1월 ~ 2017. 12월
- □ 사업대상 : 취약계층 등 지역주민
- □ 주요사업 내용
  - · 치과진료 및 구강검진사업
  - · 생애주기 구강보건교육 및 홍보사업
  - · 모자, 미취학아동 구강보건사업
  - · 학교계속 구강건강관리사업
  - · 어린이 충치예방 불소도포사업
  - · 노인 구강건강증진사업
  - · 저소득층 등 취약계층 구강보건사업
- □ 사업인력 : 6명(치과의사1, 계장1, 담당자1, 기간제3)
- □ 사업예산 : 140,651천원

2017년도 구강보건사업 계획

○ 지역주민을 대상으로 구강의료취약, 구강건강증진 등 포괄 구강건강관리 서비스를 수행하고

○ 생애주기별 체계적인 구강보건교육, 건강증진사업을 통해 올바른 구강 관리 동기부여 및 구강건강수준을 향상시켜 건강한 치아를 유지하며 평생 구강건강생활을 영위할 수 있는 기반을 조성하고자 함.

I 추진 배경 및 방향

① 사업의 배경

가. 지속적인 구강건강수준의 향상

○ OECD 세계평균 12세 우식경험치지수 → 2020년까지 1.6개 수준달성 목표를 위한 효과적 관리 필요

○ 또한, 영구치 우식증은 만6세부터 증가하여 20세 무렵에 이르면 90%이상이 경험, 65세 이상의 노인 연령에 이르면 90%를 상회하는 등 대다수의 국민들이 경험함에 따라 우식 발생 전에 예방적 진료가 필요함

※ OECD 세계평균 12세 우식경험 영구치 지수 → 1.6개

○ 1970-1980년대에 칫솔질 등 개인구강위생관리법의 보편화에 따라 만19세 이상의 치주질환 유병률은 감소 추세를 보이다 2013년부터 남녀 모두 증가함에 따라 계속적인 치주예방관리 필요

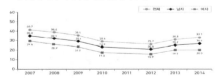

※ 자료출처: 보건복지부, 국민구강건강실태조사, 2014.
그림1) 우리나라의 19세이상 치주질환 유병률 추이

나. 구강질환에 따른 개인 및 사회적 부담가중

○ 2014년 요양급여비용에 대한 요양기관 종별에 따른 비용을 보면, 다른 기관에 비해 치과가 차지하는 요양급여비용이 가장 낮음

○ '14년 질병 소분류별 다빈도 상병 외래현황 → 2위 치은염및치주질환, 6위 치아우식증

○ 요양급여비용에 따라 상병 순위 → 치은염 및 치주질환 1위(9,06억원), 치아우식 9위(2,926억원) 치은염 및 치주질환은 ' 13년 대비 36.7% 증가함에 따라 지속적인 구강질환 예방 및 관리대책 필요

○ 2014년 다빈도 상병 순위별(외래)

순위	상병명	진료인원(명)	요양비급여용(백만원)	1인당진료비(원)
1	급성기관지염	15,083,588	696,207	46,157
2	**치은염 및 치주질환**	12,896,270	906,550	70,296
3	급성편도염	6,924705	206,960	29,887
4	다발성 및 상세불병부위의 급성상기도 감염	6,562,113	195,617	29,810
5	혈관운동성 및 알레르기성 비염	6,298,202	214,095	33,993
7	**치아우식증(충치)**	5,445,972	292,566	53,722
6	위염 및십이지장염	5,358,539	196,379	36,648
8	본태성고혈압	5,271,127	639,592	121,339
9	급성인두염	5,107,139	150,544	29,477
10	급성 비인두염(감기)	4,914,706	133,814	27,227

* 다빈도 순위는 각 상병별 진료인원 기준 ※ 자료출처 : 건강보험심사평가원, 2014 진료비 통계지표

다. 국민 구강건강불평등

○ 인구 집단간 양극화의 심화는 상대적으로 보장성이 취약한 치과의료 이용의 격차를 초래하여 구강건강 불평등을 촉진하는 요인으로 작용

○ 장애아동과 일반아동 간에 유치우식에 대해 비교해본 결과, 장애아동의 우식경험 유치지수가 상당히 높아 스스로 이를 닦을 수 없는 장애인들의 치아 건강을 위해 국가적 차원의 지원이 반드시 필요

○ 구강건강문제에서 소득수준, 교육수준 등 사회경제적 위치에 따라 미치료율 및 구강건강지표의 격차가 나타나 교육수준과 월평균 가구소득이 낮을수록, 국민건강보험 가입자에 비해 의료급여 가입자가, 육체노동군과 실업군이 보다 큰 위험도를 나타냄

※ 자료출처 : 보건복지부, 2010 국민구강건강실태조사
그림2)장애아동과 일반아동의 우식경험유치지수 비교

라. 인구고령화에 따른 구강건강관리

○ 65세이상 노인의 절반가량이 치아상실, 씹기불편 등을 호소하며 노인의 삶의 질 향상, 경제적 부담경감 등을 위해 예방사업은 필수적임

○ 02년도부터 저소득층 노인 대상으로 틀니제공사업과 불소도포 · 스케일링 제공 사업을 점차적으로 확대 실시하고 있으나, 2014년 건강보험 노인(65세 이상) 다빈도상병 급여현황을 보면, 치은염 및 치주질환이 2위를 차지함에 따라 인구고령화로 인하여 급증하는 수요를 감안하여 사업을 지속 확대할 필요가 있음

○ 65세이상 노인의 저작불편 호소율은 46.6%이며, 20개이상 치아보유율은 50.5%, 치주질환 유병률은 44.9%로 나타남. 구강검진율은 17.8%에 그쳐, 노인에 대한 구강건강관리가 필요하며 의치필요율은 28.6%임

※ 의치의 경우 원래 자연치아의 저작기능을 그대로 재현하기에는 한계가 있음

마. 제3차 국민건강증진종합계획(2011~2020)

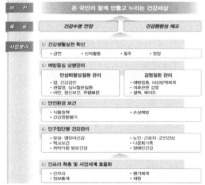

※ '구강보건'은 사업 전반의 다양한 분야에 분포되어 있음

② 사업의 추이에 따른 방향

가. 구강질환 유병률 추이

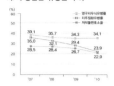

○ 영구치우식유병률 : 치료를 완료하지 않거나 발견하지 않은 영구치
- 치아우식증을 현재에 이상 보유하고 있는 분율
○ 치주질환 유병률 : 치주조직병 치료 이상의 치주질환(잇몸병) 치료가 필요한 분율
○ 저작불편호소율 : 현재 치아나 틀니, 잇몸 등 입안의 문제로 인해 저작병편을 느끼분율
※ 2005년 추계인구로 연령표준화.

※ 자료출처 : 2012년 제5기 국민건강영양조사(만19세 이상)

○ 국민건강영양조사에 따르면 2007년부터 치주질환 유병률 및 65세이상 저작불편호소율은 큰폭으로 차츰 떨어지고 있지만 영구치우식 유병률은 소폭 낮아지는 양상을 보임

나. 만65세이상 저작불편호소율 추이

구분	부산시(%)	○○구(%)	비고
2010년	47.9	41.9	
2011년	44.5	44.8	
2012년	45.0	38.3	
2013년	43.2	33.2	
2014년	43.2	44.0	
2015년	43.2	39.3	

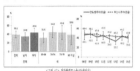

<그림 47> 저작불편호소율(65세이상)

*자료원 : 부산시지역사회건강조사(2015), ○○구지역사회건강조사(2015)

○ 65세이상 노인의 저작불편호소율은 2014년 전체 44.0%로 2013년 33.2%보다 높았고 연령별로는 2008년 이후 증감을 반복하여 뚜렷한 추세를 보이지 않았다
○ 여전히 30%이상 노인 인구가 씹는 구강기능에 불편을 느끼고 있는 것으로 나타나 지속적인 구강질환 예방 및 조기관리를 위한 보건대책이 필요함

다. 공공정책에 의한 사업의 방향

○ 구강건강과 전신건강의 밀접한 연관성
- 구강질환 중 특히 치주질환은 전신건강과 밀접한 관련이 있음(당뇨병, 심혈관계질환 등) 구강건강은 전신건강 뿐만 아니라 삶의 질 향상에 기대
○ 예방중심의 평생치아건강관리 체계강화로 국민의 구강건강 수명연장 및 구강건강관련 삶의 질 향상 도모
○ 지역특성 및 주민의 수요에 맞는 통합건강증진사업으로 행정안전부 지자체 통합 건강증진평가 추진 목표달성에 부응하는 차별적인 서비스 제공

Ⅱ 지역사회 현황

① 지역 기초정보

가. 인구현황

(단위:명)

구분	전체	0-2세	3-5세	6-11세	12-17세	18-39세	40-64세	65-69세	70세이상
2013년	100.0%(276,689)명	5,577	5,834	13,041	20,164	83,058	113,862	12,894	22,259
2014년	100%(275,971)명	5,549	5,892	13,094	18,806	81,600	113,985	13,492	23,553
2015년	271,726명	5,434	6,043	12,916	18,295.5	79,874	112,058	13,731	31,736
2016년	272,745명	5,427	6,111	13,057	17,032	77,815	112,954	14,988	25,361
남	133,890	2,808	3,174	6,825	8,950	40,357	53,926	7,130	10,720
여	138,855	2,619	2,937	6,232	8,082	37,458	59,028	7,858	14,641

※ 자료출처 : 통계청(2016년 12월말 기준)

- 2013년 이후 ○○구 전체 인구는 계속적으로 감소하는 추세를 보이고 있으나 65세이상 노인 인구수는 점차적으로 높아지는 인구분포를 나타내고 있어 고령화시대의 만성질환 관리에 대한 **어릴적부터 평생구강 건강관리사업의 필요성 증대**하고 있다

나. 저소득층 인구현황

1) 연령별 기초생활수급자 현황

(단위:연령, 명)

구분	연령	7세 미만	7-12세	13-1 5세	16-1 8세	19-2 9세	30-3 9세	40-4 9세	50-59 세	60-6 4세	65-6 9세	70-7 4세	75-7 9세	80-8 9세	90세 이상
계	8,051	164	595	561	899	649	272	968	1,249	572	526	500	474	526	96
시설수급자(남성)	275	12	11	12	14	2	10	37	25	29	20	18	15	1
시설수급자(여성)	260	16	15	12	22	16	7	19	10	17	4	9	18	60	24
일반수급자(남성)	3,393	68	280	277	462	272	104	404	637	278	192	168	145	97	8
일반수급자(여성)	4,123	68	289	260	401	353	142	519	524	259	246	303	292	354	63

※ 자료출처 : 행복e음(2016. 12월)

---

⑤ 구강보건사업 세부 추진계획

□ 치과진료 및 구강검진 서비스

목적	○ 현재 발병된 구강질환자의 적절한 치료 및 동통완화하고 구강검진을 통한 구강병을 조기발견하고 초기 치료 유도 및 질병의 이환을 예방하고자 함.
중점대상	○ 대 상 : 지역주민 7,000여명 ○ 의료보험, 의료보호, 장애인 등 취약계층 위주, 건강검진자
사업내용	**가. 치과진료서비스** ○ 치과질환 진료 및 구강건강상담 2,500여명 ○ 치과진료 서비스 내용 - 구강건강진단 : 구강상담, 검진, 치과디지털 촬영 - 보존치료 : 치아우식증으로 인한 우식병소충전, 치수절단 등 - 유치 및 영구치 치아동요로 인한 발치, 치료 - 치주질환 치면세마, 치아세정술, 응급처치 등 **나. 구강검진서비스** ○ 영유아 구강건강검진 서비스 - 2세(18-29개월), 4세(42-53개월), 5세(54-65개월) 건강검진 - 영유아 구강검진문진표 : 치과병력과 구강건강인식도, 구강검강습관조사 - 영유아 구강검진 후 종합판정, 결과통보서 발송 - 문진표에 의한 잘못된 구강건강습관 교정 - 잇솔질교습, 구강위생관리 개인별 구강건강생활 실천교육 실시 ○ 성인 구강건강검진 서비스 - 일반 건강검진, 생애전환기 건강검진 등 검진서비스 - 구강검진문진표 : 치과병력과 구강건강인식도, 구강검강습관, 구강기능상태 - 틀니상태관련, 구강건강관련 질병(당뇨) 조사 - 구강검진 후 종합판정, 구강검진 결과통보서 발송 - 문진표에 의한 잘못된 구강건강습관 교정 - 잇솔질교습, 구강위생관리 개인별 구강건강생활 실천교육 실시 ○ 각 단위 사업별 구강검진서비스 4,000여명 - 미취학아동, 학교구강보건실 운영(2개교), 노인건강검진 등

□ 생애주기별 구강보건교육 및 홍보사업

목적	○ 생애주기별 체계적인 구강보건교육을 통해 자가 구강건강관리습관을 습득으로 구강건강을 효과적으로 향상시키게 기여
중점대상	○ 대 상 : 지역주민 30,000여명 ○ 방 법 : 내소 및 시설방문, 생애주기별, 생활터별 사업추진 ○ 교육자 : 치과의사, 치과위생사, 지역대학 치위생과 및 자원봉사, 보건교사
사업내용	**가. 영·유아 구강건강교육** ○ 내소 영유아, 유치원등 유아시설 아동, 3,500여명 ○ 주요내용 - 영유아 건강검진자 : 2세, 4세, 5세 구강검진 및 상담, 구강보건교육 - 미취학아동 시설 : 잇솔질방법, 식습관교정을 위한 구강보건교육 - 임산부 출산준비교실, 베이비마사지교실, 영플대상자 등 연계 ○ 교육내용 - 내 입속 바로알기 바른 잇솔질교육, 식습관교육 - 불소도포 및 불소용액양치 등 예방처치 및 건강교육 - 잇솔질교습, 구강패널 전시 및 구강홍보물 배부 **나. 튼튼이 초중고 구강건강교실** ○ 초등 및 중고, 건강증진학교, 22,000여명 ○ 주요 내용 - 학교 보건교사 지도를 통한 구강건강증진교육 - 튼튼이 불소도포 건강교실 연계 올바른 잇솔질 등 건강교육 - 어린이 식습관 교정을 위한 교육 - 동래교육지원청, 지역대학 치위생과 건강체험교실 사업연계 **다. 지역주민 구강건강교육 및 홍보행사** ○ 통합사업연계 교육, 건강캠페인 및 행사참여 지역주민 ○ 내 용 - 건강헬스교실, 취약계층 구강건강교실 - 구강보건주간행사 시 잇솔질체험, 건강상담 및 교육 - 보건의 날, 음성축제 등 건강체험마당 및 교육 구강캠페인 10회 - 금연성공자 예방처치, 성인 구강건강검진 대상자 구강보건교육 ○ 치과의사회, 치과위생사회, 지역대학 등 타 사업 연계 **라. 어르신 치아사랑 구강건강교실** ○ 노인시설, 경로당 등 구강 취약계층 노인, 2,000여명 ○ 내용 - 취약계층 노인의치 대상자 등 사후관리 건강관리교실 - 틀니관리, 올바른 잇솔질, 섭식습관을 위한 보건교육 실시 - 불소도포(불소겔, 불소바니쉬 등) 예방처치를 위한 교육

□ 모자 및 미취학아동 구강보건사업

목적	○ 아동의 구강건강 중요성 인식 및 상담, 교육을 통한 구강건강 인지도 상승 및 사전 구강의료비 절감효과, 유치에서 영구치로 교체되기 전에 치아우식증을 예방하는 등 영구치의 건강을 도모하여 평생 구강건강을 영위할 수 있는 계기 마련
중점대상	○ 영유아 및 임산부 400여명, 관내 성장중인 일부 및 영유아 ○ 유치원, 어린이집, 사회복지시설 아동(4-7세) 3,000여명 ○ 장 소 : 보건소 라마즈실, 보건소 대회의실 및 구강보건실

사업내용	**가. 모자 구강보건사업**
	○ 임산부 출산준비교실, 베이비 마사지교실 연계 구강건강교육
	  - 임산부 구강건강상태 및 임신 주기에 따른 구강건강관리
	  - 임산부에 빈발하는 치주질환 관리요령
	  - 올바른 잇솔질 사용, 구강관리용품 사용, 모자보건수첩 발행
	○ 영양플러스등 대상 연계 등 영유아 구강건강관리
	  - 아동의 시기변화에 따른 구강건강관리요령
	  - 우리아이 구강건강관리를 위한 치과상식
	  - 리플렛을 활용한 건강교육 : 관심과 지식, 태도 행동변화
	나. 미취학아동 구강보건사업
	○ 유아시설 등 사업 안내 및 사업전 요구조사 30개소, 2,500여명
	  - 보육교사 간담회 : 미취학아동 구강보건사업 설명회
	○ 『튼튼이 미취학아동 구강건강교실』 운영
	○ 구강검진 : 구강건강증진실태 파악할 수 있는 자료
	  - 치아우식증 유·무, 부정교합, 기타 구강위생상태 등
	  - 유아대상 구강검진기록부 작성, 구강검진 결과서 송부
	○ 구강보건교육 : 아동의 구강보건행동을 바람직한 방향으로 변화유도
	  - 치아의 구조, 기능, 영구치의 중요성
	  - 치아우식증의 원인 및 예방법, 이로운 음식과 해로운 음식
	  - 칫솔질의 시기, 칫솔 보관방법, 올바른 잇솔질방법(묘원법)
	  - 수돗물불소농도 조정, 불소이용, 관련사항 등
	○ 불소도포
	  - 고농도의 불소화합물을 치아표면에 직접발라 불소가 치아표면의 성질을 향내산성으로 치환하여 치아우식증 예방
	  - 시술방법 : 치과위생사등 전문가에 의한 직접시술
	  - 기대효과 : 충치예방 30-50%, 년2회정도
	○ 불소용액양치
	  - 불소이용을 통한 치아우식증 예방효과를 극대화하고, 어린이 스스로 자신의 구강건강을 적절히 관리할 수 있는 능력을 배양
	  - 대상 : 6-7세 이상의 시설아동, 년중 실시(사업기간 중 집중실시)
	  - 방법 : 각시설에서, 주1회(0.2% 불소용액), 보건소 용액제조 후 분배

□ 어린이 충치예방 불소도포사업

목적	○ 치아우식증에 취약한 어린이에게 불소도포를 시행함으로써 치아우식증 예방을 극대화시키고 올바른 구강건강교육으로 어린이 구강건강향상에 기여
중점대상	○ 대 상 : 15세이하 아동 5,500명 ○ 방 법 : 보건소 진료내, 학교로 출장, 월 3-4회 학교방문

사업내용	**가. 보건소 내 어린이 불소도포**
	○ 대 상 : 15세이하 내소 어린이
	○ 시 기 : 4-6개월마다, 상시운영, 방학 중 집중처치
	○ 내용
	  - 구강검진 및 구강건강기록부 및 상태 등록
	  - 증상에 따라 불소겔, 불소이온도포기, 불소바니쉬, 불소폼 이용
	  - 불소치약, 불소도포제, 양치 등 이용 강조
	나. 튼튼이 불소도포 구강건강교실
	○ 대 상
	  - 미취학아동 불소도포 건강교실 2,500여명, 따로 관리
	  - 관내 초등학교 1-2학년, 2,500여명
	  - 저소득층 및 충치발생 가능성이 높은 아동
	  - 다문화가정, 충치가 다수 발생한 아동 등
	○ 초등학교 보건소시 간담회 사업안내
	  - 학교구강보건사업 안내 및 홍보, 신청서 회수 안내
	○ 사업요구 조사 공문 발송
	  - 학교별 단체접수, 회신학교 신청서 취합 후 대상자 선정
	○ 불소도포 시행 : 학교별 일정에 따름
	  - 재료 준비 : 기본 세트, 불소, 거즈, 휴지, 칫솔 등
	  - 불소바니쉬, 불소겔, 불소이온도포기를 이용한 예방처치, 주의사항
	  - 불소도포 후 물, 음식물 섭취금지(도포 후 30분-1시간 동안)
	○ 대상자 관리 : 학교구강보건실 따로 관리
	  - 사업대상자에게 동의서 등 안내문 발송 및 회수
	  - 집단잇솔질 지도 및 불소도포 예방처치 일정관리
	  - 시술기록지 : 일자, 성명, 연령등을 기록 관리
	○ 지역대학 및 타 사업연계 협조 추진
	  - 동래교육청 사업지원, 지역대학 치위생과 실습생 8개교 자원봉사
	  - 담당자 사업 및 실습지도 : 보건교육 및 사업홍보
	  - 영양음식조절, 보호자 흡연예방 등 구강생활실천 보건교육 협조
	  - 우드락, PPT 등 교육매체 개발, 잇솔질교습, 예방처치, 보건교육 홍보

□ 학교구강보건실 설치운영사업

목적	○ 구강의료 취약계층 장애인학동 및 혼합치열기의 학동을 대상으로 포괄구강예방서비스를 수행하고 체계적인 구강보건교육을 통해 질환의 조기치료 유도 및 자가 구강건강관리 습득으로 구강건강을 효과적으로 향상시키는데 기여
중점대상	○ 대 상 : 2개교 381명(○○학교 100, ○○초등학교 281) ○ 운영방법 : 보건소에서 학교로 출장, 매주 2-4회

사업내용	**가. 특수학교 구강보건실 운영**
	○ 대상 : ○○○학교 100명
	○ 내용
	  - 구강보건실 역할 중심 구강보건예방사업 활성화
	  - 구강검진 및 실태조사 : 치아우식경험도, 치주조직, 유병율 등
	  - 불소도포, 치아홈메우기, 전문가치아세정술 등의 구강건강예방활동 수행
	  - 개별 구강보건교육, 바른양치 실습교육으로 학교에서 바른양치 및 불소용액 양치사업 활성화
	  - 치과진료 : 발치, 보존치료, 충전, 중증질환자 자원봉사 연계 등
	  - 민간단체 치과진료 자원봉사 : 주1회, 권순고치과, 참치과, 미남치과
	나. 초등학교 구강보건실 운영
	○ 대상 : ○○초등학교 281명
	○ 대상자 관리 : 구강건강관리기록부(6년)에 의함
	○ 주요내용
	  - 구강질병관리(계속구강건강관리)를 통한 구강보건사업 활성화
	   • 구강검진 및 실태조사 : 치아우식경험도, 치아홈메우기 평가
	   • 불소도포, 홈메우기, 치면세정술, 스케일링 등의 서비스 계속제공
	   • 매주 불소용액양치 실시
	  - 구강건강증진
	   • 진료의뢰서 회수, 진료결과서, 가정통신문 등 배부 및 사업홍보
	   • 개별 구강건강교육 및 바른양치교육으로 식후 바른양치 및 불소용액양치사업 활성화 유도, 구강건강실태 및 기록, 만족도 등 조사통계
	○ 사업흐름도

```
구강검사·문진 → 구강건강실태·홈메우기 대상조사·결과기록부 작성 → 예방처치 처방·가정통신문 작성 배부·잇솔질교육 및 예방처치 시술 → 사업평가 및 계속관리
```

□ 학생 및 아동 치과주치의 의료지원 사업

목적	○ 아동(학생) 스스로 구강건강생활을 실천하도록 자가 건강관리 능력을 키워주고 예방진료 중심의 서비스를 통하여 구강건강증진 향상하고 구강건강평등 해소에 기여 "치과주치의"란 구강검진(문진, 구강검사, 구강방사선촬영), 구강건강증진(구강위생관리, 바른 식습관, 불소이용, 금연, 절주, 칫솔질, 칫실질), 예방진료(전문가 구강위생관리, 치아홈 메우기, 치석제거) 등을 등록된 자에게 지속적으로 제공하는 치과의사를 의미함.
중점대상	○ 대 상 : 지역아동센터 이용 초등학생, 관내 22개초 초등 4학년 ○ 방 법 : ○○구 치과의사회 연계 서비스 후 의료비지원, 업무협약

사업내용	**가. 아동 치과주치의 의료지원**
	○ 대 상 : 아동센터를 이용하는 초등학생
	○ 기본서비스 :구강검진 : 문진, 치면세균막 검사(PHP), 방사선촬영
	  - 구강건강증진(개별 구강보건교육) : 구강위생관리, 바른 식습관, 불소이용, 금연/절주, 칫솔질/치실질
	  - 예방진료 : 전문가 구강위생관리, 불소도포, 치아홈메우기, 치석제거
	○ 추가서비스(~30만원까지) : 구강질환 치료(저소득층 아동) : 충전, 신경치료, 발치, 기타
	○ 시술비 지급 및 사업비 집행, 대상자 관리
	나. 학생 치과주치의 의료지원
	○ 대 상 : 관내 초등학생 4학년 1,200여명
	○ 주요내용
	  - 사업계획 및 설명회(1-2월) 개최 : 치과의사회, 동래교육지원청, 초등학교 등 협의
	  - 수요조사 등 협의 : 초등22개초, 동의서 발송 및 회수
	  - 연계기관 협약체결 및 지역협의회 구성, 진료기관 선정(1-2월)
	  - 사업안내 및 홍보(매월) : 모니터링, 서식, 홍보전단 등 제작 배부
	  - 대상자 의뢰 및 시술비 지급(배월) : 시술비 청구관리, 대상자 전산기록
	○ 기본서비스 : 1인당 4만원

대상	의료서비스 내용	check	비고
필수(전원)	- 문진 및 구강검사 - 치면세균막검사(PHP) - 개별 구강보건교육 (구강위생관리,영양,금연) - 전문가 치아세정술 - 불소도포(젤, 바니쉬)	개인별 구강건강교육 개인별 구강건강교육 치과의사 또는 치위생사가 보건교육 실시	대상자 지속적 구강건강 관리
선택	- 구강방사선치면촬영판독 - 홈메우기, 치석제거(난순스케일링)	개인상황에 따라 선택 치아우식증 예방	

○ 2017년 구강건강실천 협의회 구성 및 운영

□ 노인 구강건강증진사업

목적	○ 잇몸질환 등 치아건강이 취약한 어르신들에게 치근면 우식예방 및 시린이 방지, 치주질환 예방함으로써 건강한 노후 생활 및 삶의 질을 향상시키고자 함
중점대상	○ 대 상 : 지역주민(의료보호 및 차상위 등 65세이상 노인) 1,800여명 ○ 방 법 : 보건소 내, 노인관련 시설방문, 이동건강체험
사업내용	**가. 보건소 방문 어르신 구강건강 서비스** ○ 방 법 : 6개월 주기 계속서비스 ○ 내 용 : 불소이온도포, 불소바니쉬, 불소겔 도포 - 구강검진 : 어르신 대상 구강상담 기록부 작성 - 대상자의 상태에 맞게 치면세마, 불소예방 처치 실시 - 기 노인의치(틀니) 사후관리 및 구강상담 및 보건교육 서비스 - 의치(틀니) 세척 주기적 관리요령 - 불소이용 후 30분~1시간 동안 음식물 섭취 금지 **나. 어르신 치아사랑 불소도포 건강교실** ○ 대 상 : 노인 시설 30여개소 500여명 ○ 방 법 : 경로당 등 시설 방문, 노인회, 방문사업 연계 ○ 주요내용 - 구강보건교육 • 노년기 구강질환, 치아우식증의 원인 및 예방 • 치주질환의 증상, 입냄새, 흡연예방, 치주병이 생기기 쉬운환경 • 치주질환의 진행과정, 구강건조증의 원인과 치료, 불소이용등 - 의치(틀니)세척 및 관리 • 틀니의치관리요령, 틀니사용시 불편사항 상담교육 • 틀니세척기에 세정제를 녹인후 개인별 틀니 세척 - 전문가 불소도포 • 구강검진 및 상담, 구강상태기록, 동의서 작성 • 불소도포 : 자연치아 관리 불소겔, 불소바니쉬, 불소이온도포 불 • 불소도포 후 30분~1시간 동안 물이나 음식물을 먹지 않는다 - - 홍보물 배부 : 치주질환의 예방, 노년기 구강관리 리플렛, 개인용 칫솔, 혀크리너 등 구강위생용품 배부 **다. 어르신 구강건강체험 행사** ○ 기 간 : 2017. 3월 ~ 11월, 10회 ○ 대 상 : 지역축제 등 행사 시 구강건강체험 어르신 ○ 내 용 - 구강건강상담 및 교육, 불소도포체험, 건강증진체험 - 잇솔질교습, 캠페인 등 행사 계획 및 사업홍보 등 - 매회 지역대학 치위생과 10여명 참여

□ 저소득층 등 취약계층 구강보건사업

목적	○ 치과질환이 있어도 경제적이유로 진료를 받지 못하는 의료사각지대의 주민, 방문관리 서비스 대상 등 구강보건의료서비스 제공으로 취약계층의 경제적 비용절감 및 삶의 질을 향상에 기여
중점대상	○ 대 상 : 의료보호, 방문관리대상 등 저소득 취약계층 1,600명 ○ 방 법 : 보건소 내소 및 방문구강건강관리 서비스
사업내용	**가. 취약계층 내소 무료진료서비스** ○ 기 간 : 연 중 ○ 대 상 : 의료보호 및 차상위계층, 장애인 등 ○ 저소득층 치아홈메우기 : 보건소 주기적 방문, 홈메우기 시술 - 구강검진 및 상담, 대상치아 선정, 제1대구치 위주 ○ 금연성공자 스케일링 - 구강검사 및 상담, 계속관리대장, 시린이, 치주상태 점검 - 금연시 나타나는 구강불편사항 등 상담 및 교육 - 치주질환의예방 리플렛, 개인용 칫솔, 혀크리너등 구강위생용품 배부 ○ 건강증진 프로그램 연계사업 - 통합건강증진(방문, 비만, 영양, 운동, 금연) 등 대상자 연계 - 취약계층(국민기초수급, 장애자등) 사회복지, 부산시 연계 ○ 구강보건교육 내용 - 치아우식증의 원인 및 예방, 흡연시 쉽게 나타나는 구강질환 - 성인 치주질환의 증상, 입냄새, 치주병이 생기기 쉬운환경 - 치주질환의 진행과정, 흡연으로 인한 구강건조증의 원인과 치료 - 불소이용, 수돗물 불소농도조정사업의 효과성 등 **나. 부산시 연계 취약계층 구강보건사업** ○ 대 상 : 그리스도요양원, 은홍의 집 등 ○ 방 법 : 부산시 취약계층사업과 연계 방문서비스 제공 ○ 내 용 - 「찾아가는 사랑방운영 교실」 운영 - 구강검진 후 스케일링 가능한 대상을 추천, 장애인 센터로 이동 - 처치 : 치아관리, 잇솔질상태, 스케일링, 치아세정술, 구강위생관리 점검 - 불소도포 예방처치 및 불소용액양치

⑥ 월별 추진계획

사업명	월별 추진계획											
	1	2	3	4	5	6	7	8	9	10	11	12
○치과진료 및 검진사업												
○생애주기 구강보건교육 및 홍보												
○모자 및 미취학아동 구강보건사업												
○학교구강보건실 운영												
○어린이충치예방 불소도포												
○학생 및 아동치과주치의사업												
○노인 구강건강증진사업												
○취약계층 구강보건사업												

⑦ 자원 투입계획

가. 인력 투입계획

성 명	소속기관 및 부서	직위 및 직급	직 종	주요 업무내용
김○○	보건소	보건소장	의무직	사업총괄 대외활동
강○○	보건소	보건행정과장	행정직	사업총괄 및 지도
최○○	건강증진계	치과의사	의무직	구강검진, 예방처치, 치과진료 등
하○○	건강증진계	건강증진계장	행정직	구강보건업무 지도 및 검토
김○○	건강증진계	의료기술 6급 (치과위생사)	담당자	치과 및 구강보건업무 전반
김○○	건강증진계	무기계약	치과위생사	치과실 및 구강보건사업 실무
김○○	건강증진계	기간제	치과위생사	치과실 및 구강보건사업 관련
차○○	건강증진계	기간제	치과위생사	금연등 건강증진사업

나. 지역대학 치위생과 실습생 인력운용

연번	지역대학	전체인원	동매구	2017 실습기간	비고
1	○○○○대학교	64명	4명	향후 부산시 협의(2월중)	
2	○○대학교	33명	3명		
3	○○대학교	42명	3명		
4	○○○○대학교	30명	2명		
5	○○대학교	36명	2명		
6	○○○○○○대학교	33명	2명		
7	○○○○대학교	80명	6명		
8	○○대학교	46명	3명		
	계	364명	25명		

다. 사업별 예산계획

(단위:천원)

구분	2017년 구강보건사업 예산계획				세부 산출내역
	소계	국비	시비	구·군비	
총예산	140,651	6,550	15,275	118,826	
치과진료 및 구강검진서비스					
무기계약 및 구강보건실 운영 인건비					
통합건강증진 충치아 물렁거라 튼튼이(틀)프로그램 치아건강행복백세 프로그램					
구강보건사업지원 (특수학교)					
학생 및 아동 치과주치의사업					

6. 구강보건사업 기획서 작성

구강보건사업명:	
항목	
활동내용	
장비 및 시설	
인력계획	
일정계획	
예산	
비고	

V 실 습 후 학 습

1. 사례연구 발표
2. 준비사항
3. 발표자료
4. 활동사진
5. 사례연구 평가표

1. 사례연구 발표

지역사회 구강보건 실습 후 실습을 수행하면서 선정한 중요한 사례를 연구하고 발표하는 과정이다.

2. 준비사항

1) 발표자
- 발표하고자 하는 사례의 주제를 선정한다.
- 발표내용을 전달할 수 있는 자료를 수집 후 작성한다.
- 발표 시 단정한 복장을 준비한다.
- 정확한 의사전달을 위하여 사전에 발음, 언어 등 의사소통 기술을 적용한다.
- 발표 시 자신감을 가지고 내용을 전달을 한다.
- 발표자는 청중에게 자신감은 묻어나되 겸손하게 인사한다.
- 발표 시 전반적으로 밝고 따뜻한 표정을 지으면서 발표한다.
- 시선은 한쪽에 치우치지 않고, 고르게 시선을 두도록 한다.
- 마이크 사용 시 한 손으로 자연스럽게 잡도록 한다.
- 발표 후 질문이 있는지 확인 후 피드백한다.

2) 경청자
- 핸드폰은 전원을 끄고 참석한다.
- 메모지를 준비한다.
- 발표 중에 옆사람과 이야기하지 않는다.
- 발표자의 내용을 집중하여 경청한다.
- 경청하고 있음을 보여주기 위해 적절한 표정을 짓는다.
- 질문은 발표 후 질문시간에 하도록 한다.

3. 발표자료

● 사례 1

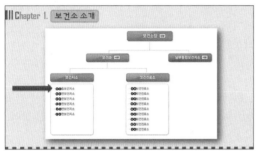

Ⅲ Chapter 3. 초등학교 구강검진

❖ ○○초등학교

Ⅲ Chapter 3. 초등학교 구강검진

Ⅲ Chapter 3. 초등학교 구강검진

Ⅲ Chapter 3. 초등학교 구강검진

Ⅲ Chapter 4. 초등학교 불소용액양치사업

Ⅲ Chapter 5. 초등학생 구강보건교육 및 불소도포

Ⅲ Chapter 5. 초등학생 구강보건교육 및 불소도포

Ⅲ Chapter 5. 초등학생 구강보건교육 및 불소도포

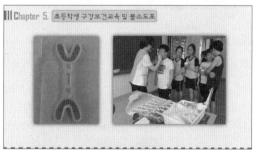

Ⅲ Chapter 5. 초등학생 구강보건교육 및 불소도포

Ⅲ Chapter 5. 초등학생 구강보건교육 및 불소도포

● 사례 2

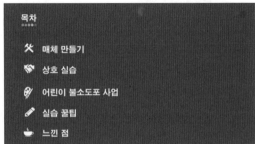

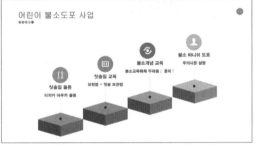

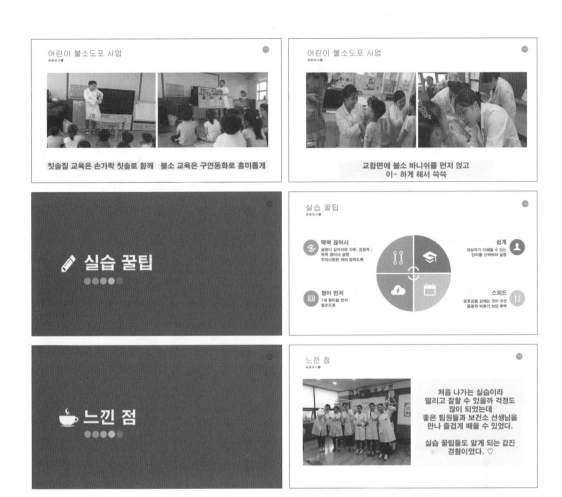

4. 활동사진

5. 사례연구 평가표

학년			학번			성명		

제목								

연번	항목	평가점수				
		10	9	8	7	6
1	사례연구의 제목, 서론, 본론, 결론 순으로 양식을 갖추었는가?					
2	사례연구의 필요성과 목적은 분명하게 제시되었는가?					
3	자료수집은 정확하고 체계적으로 준비하였는가?					
4	사례연구의 내용은 정확하고 논리적인가?					
5	의사소통 기술을 효과적으로 적용하였는가?					
6	용모와 품행이 타의 모범이 되었는가?					
7	발표회에 임하는 태도가 성실하고 적극적이었는가?					
8	발표자 및 경청자를 존중하며 책임감 있는 태도를 보였는가?					
9	분명한 어조와 명확한 언어를 사용하여 자신감 있게 발표하였는가?					
10	피드백을 주거나 질문을 하는 등 적극적으로 참여하였는가?					

합 계 :

평 균 :

평가자 :   (인)

VI 부록

1. 보건복지부

1) 조직도

2) 연혁

- **사회부 (1948~1955)** : 보건·후생·노동·주택 및 부녀문제에 관한 사무를 관장하기 위해 1948년 사회부 신설

- **보건부 (1949~1955)** : 국민보건·위생·의정·방역 및 약정에 관한 사항을 분장하기 위해 1949년 보건부 신설

- **보건사회부 (1955~1994)** : 의무·방역·보건·위생·약무·구호·원호·후생·주택·부녀문제 및 노동에 관한 사무를 관장하기 위해 1955년 보건부와 사회부를 통합하여 보건사회부 설립

보건복지부 (1994~2008) : 보건위생·방역·의정·약정·생활보호·자활지원·여성복지·아동(영유아보육 제외한다)·노인·장애인 및 사회보장에 관한 사무를 관장하기 위해 1994년 보건사회부를 보건복지부로 개편

- **보건복지가족부 (2008~2010)** : 보건위생·방역·의정·약정·생활보호·자활지원 및 사회보장·아동(영·유아 보육을 포함한다)·청소년·노인·장애인 및 가족에 관한 사무를 관장하기 위해 2008년 2월 보건복지부를 보건복지가족부로 개편

- **보건복지부 (2010~)** : 보건복지가족부의 청소년·가족 기능을 여성부로 이관하고 보건복지정책 중심으로 사무를 관장하기 위해 2010년 3월 보건복지가족부를 보건복지부로 개편

3) 기능

2010.3.15. (대통령령 제22075호)

2010.3.19. (보건복지부령 제1호)

- 보건복지가족부의 청소년·가족 기능을 여성부로 이관하고 보건복지가족부의 기능을 보건복지정책 중심의료 개편하는 내용으로 『정부조직법』이 개정(법률 제9932호, 2010. 1. 18. 공포, 3. 19. 시행)됨에 따라 보건복지부와 그 소속기관의 조직과 직무범위 및 정원 등을 조정하고 인력과 기능을 합리적으로 조정

- 국민경제를 부흥하고, 국민의 안전을 최우선으로 하는 창조적이고 유능한 정부를 구축하기 위하여 정부기능을 효율적으로 재배치하는 내용으로 『정부조직법』이 개정(법률 제11690호, 2013. 3. 23. 공포·시행)됨에 따라 보건복지부의 조직과 기능을 합리적으로 개편

  - 사회보장위원회 사무국 신설(1사무국 3과 +8명)
  - 행정 효율화를 위하여 공통·지원부서 정원 5명(3급 또는 4급 이하 및 기능직 5명)을 감축하고, 여성 정책 전담인력 1명(3급 또는 4급 이하 및 기능직 1명)을 증원하며, 식품·의약품안전정책 기능이 식품의약품안전처로 이관됨에 따라 정원 10명(3급 또는 4급 이하 및 기능직 10명)을 이체
  - 2015년도 소요정원안 반영에 따른 본부 및 질병관리본부 인력 증원(+19명), 질병관리본부 결핵조사과, 의료방사선과 신설(2과 6명)
  - 의료사업 해외진출의 체계적 지원과 저출산고령사회위원회 기능강화를 위한 기구신설(+1관+2과, 해외의료사업지원관, 해외의료사업과, 분석평가과) 및 관련 인력증원(+15명)

2. 지역보건법

1) 지역보건법

[시행 2016.11.30.] [법률 제14197호, 2016.5.29., 타법개정]

제1장 총칙

제1조(목적) 이 법은 보건소 등 지역보건의료기관의 설치·운영에 관한 사항과 보건의료 관련기관·단체와의 연계·협력을 통하여 지역보건의료기관의 기능을 효과적으로 수행하는 데 필요한 사항을 규정함으로써 지역보건의료정책을 효율적으로 추진하여 지역주민의 건강 증진에 이바지함을 목적으로 한다.

제2조(정의) 이 법에서 사용하는 용어의 뜻은 다음과 같다.

1. "지역보건의료기관"이란 지역주민의 건강을 증진하고 질병을 예방·관리하기 위하여 이 법에 따라 설치·운영하는 보건소, 보건의료원, 보건지소 및 건강생활지원센터를 말한다.

2. "지역보건의료서비스"란 지역주민의 건강을 증진하고 질병을 예방·관리하기 위하여 지역보건의료기관이 직접 제공하거나 보건의료 관련기관·단체를 통하여 제공하는 서비스로서 보건의료인(「보건의료기본법」 제3조제3호에 따른 보건의료인을 말한다. 이하 같다)이 행하는 모든 활동을 말한다.

3. "보건의료 관련기관·단체"란 지역사회 내에서 공중(公衆) 또는 특정 다수인을 위하여 지역보건의료서비스를 제공하는 의료기관, 약국, 보건의료인 단체 등을 말한다.

제3조(국가와 지방자치단체의 책무) ① 국가 및 지방자치단체는 지역보건의료에 관한 조사·연구, 정보의 수집·관리·활용·보호, 인력의 양성·확보 및 고용안정과 자질 향상 등을 위하여 노력하여야 한다. 〈개정 2016.2.3.〉

② 국가 및 지방자치단체는 지역보건의료 업무의 효율적 추진을 위하여 기술적·재정적 지원을 하여야

한다.

③ 국가 및 지방자치단체는 지역주민의 건강 상태에 격차가 발생하지 아니하도록 필요한 방안을 마련하여야 한다.

제4조(지역사회 건강실태조사) ① 국가와 지방지치단체는 지역주민의 건강 상태 및 건강 문제의 원인 등을 파악하기 위하여 매년 지역사회 건강실태조사를 실시하여야 한다.

② 제1항에 따른 지역사회 건강실태조사의 방법, 내용 등에 관하여 필요한 사항은 대통령령으로 정한다.

제5조(지역보건의료업무의 전자화) ① 보건복지부장관은 지역보건의료기관(「농어촌 등 보건의료를 위한 특별조치법」 제2조제4호에 따른 보건진료소를 포함한다. 이하 이 조에서 같다)의 기능을 수행하는 데 필요한 각종 자료 및 정보의 효율적 처리와 기록·관리 업무의 전자화를 위하여 지역보건의료정보시스템을 구축·운영할 수 있다.

② 보건복지부장관은 제1항에 따른 지역보건의료정보시스템을 구축·운영하는 데 필요한 자료로서 다음 각 호의 어느 하나에 해당하는 자료를 수집·관리·보유·활용(실적보고 및 통계산출을 말한다)할 수 있으며, 관련 기관 및 단체에 필요한 자료의 제공을 요청할 수 있다. 이 경우 요청을 받은 기관 및 단체는 정당한 사유가 없으면 그 요청에 따라야 한다.

1. 제11조제1항제5호에 따른 지역보건의료서비스의 제공에 관한 자료

2. 제19조부터 제21조까지의 규정에 따른 지역보건의료서비스 제공의 신청, 조사 및 실시에 관한 자료

3. 그 밖에 지역보건의료기관의 기능을 수행하는 데 필요한 것으로서 대통령령으로 정하는 자료

③ 누구든지 정당한 접근 권한 없이 또는 허용된 접근 권한을 넘어 지역보건의료정보시스템의 정보를 훼손·멸실·변경·위조·유출하거나 검색·복제하여서는 아니 된다.

제6조(지역보건의료심의위원회) ① 지역보건의료에 관한 다음 각 호의 사항을 심의하기 위하여 특별

시·광역시·도(이하 "시·도"라 한다) 및 특별자치시·특별자치도·시·군·구(구는 자치구를 말하며, 이하 "시·군·구"라 한다)에 지역보건의료심의위원회(이하 "위원회"라 한다)를 둔다.

1. 지역사회 건강실태조사 등 지역보건의료의 실태조사에 관한 사항
2. 지역보건의료계획 및 연차별 시행계획의 수립·시행 및 평가에 관한 사항
3. 지역보건의료계획의 효율적 시행을 위하여 보건의료 관련기관·단체, 학교, 직장 등과의 협력이 필요한 사항
4. 그 밖에 지역보건의료시책의 추진을 위하여 필요한 사항

② 위원회는 위원장 1명을 포함한 20명 이내의 위원으로 구성하며, 위원장은 해당 지방자치단체의 부단체장(부단체장이 2명 이상인 지방자치단체에서는 대통령령으로 정하는 부단체장을 말한다)이 된다. 다만, 제4항에 따라 다른 위원회가 위원회의 기능을 대신하는 경우 위원장은 조례로 정한다.

③ 위원회의 위원은 지역주민 대표, 학교보건 관계자, 산업안전·보건 관계자, 보건의료 관련기관·단체의 임직원 및 관계 공무원 중에서 해당 위원회가 속하는 지방자치단체의 장이 임명하거나 위촉한다.

④ 위원회는 그 기능을 담당하기에 적합한 다른 위원회가 있고 그 위원회의 위원이 제3항에 따른 자격을 갖춘 경우에는 시·도 또는 시·군·구의 조례에 따라 위원회의 기능을 통합하여 운영할 수 있다.

⑤ 제1항부터 제4항까지에서 규정한 사항 외에 위원회의 구성과 운영 등에 필요한 사항은 대통령령으로 정한다.

제2장 지역보건의료계획의 수립·시행

제7조(지역보건의료계획의 수립 등) ① 특별시장·광역시장·도지사(이하 "시·도지사"라 한다) 또는 특별자치시장·특별자치도지사·시장·군수·구청장(구청장은 자치구의 구청장을 말하며, 이하 "시장·군수·구청장"이라 한다)은 지역주민의 건강 증진을 위하여 다음 각 호의 사항이 포함된 지역보건의료계획을 4년마다 제3항 및 제4항에 따라 수립하여야 한다.

1. 보건의료 수요의 측정
2. 지역보건의료서비스에 관한 장기·단기 공급대책
3. 인력·조직·재정 등 보건의료자원의 조달 및 관리
4. 지역보건의료서비스의 제공을 위한 전달체계 구성 방안
5. 지역보건의료에 관련된 통계의 수집 및 정리

② 시·도지사 또는 시장·군수·구청장은 매년 제1항에 따른 지역보건의료계획에 따라 연차별 시행계획을 수립하여야 한다.

③ 시장·군수·구청장(특별자치시장·특별자치도지사는 제외한다. 이하 이 조에서 같다)은 해당 시·군·구(특별자치시·특별자치도는 제외한다. 이하 이 조에서 같다) 위원회의 심의를 거쳐 지역보건의료계획(연차별 시행계획을 포함한다. 이하 이 조에서 같다)을 수립한 후 해당 시·군·구의회에 보고하고 시·도지사에게 제출하여야 한다.

④ 특별자치시장·특별자치도지사 및 제3항에 따라 관할 시·군·구의 지역보건의료계획을 받은 시·도지사는 해당 위원회의 심의를 거쳐 시·도(특별자치시·특별자치도를 포함한다. 이하 이 조에서 같다)의 지역보건의료계획을 수립한 후 해당 시·도의회에 보고하고 보건복지부장관에게 제출하여야 한다.

⑤ 제3항 및 제4항에 따른 지역보건의료계획은 「사회보장기본법」 제16조에 따른 사회보장 기본계획 및 「사회보장급여의 이용·제공 및 수급권자 발굴에 관한 법률」에 따른 지역사회보장계획과 연계되도록 하여야 한다.

⑥ 특별자치시장·특별자치도지사, 시·도지사 또는 시장·군수·구청장은 제3항 또는 제4항에 따라 지역보건의료계획을 수립하는 데에 필요하다고 인정하는 경우에는 보건의료 관련기관·단체, 학교, 직장 등에 중복·유사 사업의 조정 등에 관한 의견을 듣거나 자료의 제공 및 협력을 요청할 수 있다. 이 경

우 요청을 받은 해당 기관은 정당한 사유가 없으면 그 요청에 협조하여야 한다.

⑦ 지역보건의료계획의 내용에 관하여 필요하다고 인정하는 경우 보건복지부장관은 특별자치시장·특별자치도지사 또는 시·도지사에게, 시·도지사는 시장·군수·구청장에게 각각 보건복지부령으로 정하는 바에 따라 그 조정을 권고할 수 있다.

⑧ 제1항부터 제7항까지에서 규정한 사항 외에 지역보건의료계획의 세부 내용, 수립 방법·시기 등에 관하여 필요한 사항은 대통령령으로 정한다.

제8조(지역보건의료계획의 시행) ① 시·도지사 또는 시장·군수·구청장은 지역보건의료계획을 시행할 때에는 제7조제2항에 따라 수립된 연차별 시행계획에 따라 시행하여야 한다.

② 시·도지사 또는 시장·군수·구청장은 지역보건의료계획을 시행하는 데에 필요하다고 인정하는 경우에는 보건의료 관련기관·단체 등에 인력·기술 및 재정 지원을 할 수 있다.

제9조(지역보건의료계획 시행 결과의 평가) ① 제8조제1항에 따라 지역보건의료계획을 시행한 때에는 보건복지부장관은 특별자치시·특별자치도 또는 시·도의 지역보건의료계획의 시행결과를, 시·도지사는 시·군·구(특별자치시·특별자치도는 제외한다)의 지역보건의료계획의 시행 결과를 대통령령으로 정하는 바에 따라 각각 평가할 수 있다.

② 보건복지부장관 또는 시·도지사는 필요한 경우 제1항에 따른 평가 결과를 제24조에 따른 비용의 보조에 반영할 수 있다.

제3장 지역보건의료기관의 설치·운영

제10조(보건소의 설치) ① 지역주민의 건강을 증진하고 질병을 예방·관리하기 위하여 시·군·구에 대통령령으로 정하는 기준에 따라 해당 지방자치단체의 조례로 보건소(보건의료원을 포함한다. 이하 같다)를 설치한다.

② 동일한 시·군·구에 2개 이상의 보건소가 설치되어 있는 경우 해당 지방자치단체의 조례로 정하는 바에 따라 업무를 총괄하는 보건소를 지정하여 운영할 수 있다.

제11조(보건소의 기능 및 업무) ① 보건소는 해당 지방자치단체의 관할 구역에서 다음 각 호의 기능 및 업무를 수행한다. 〈개정 2016.2.3.〉

1. 건강 친화적인 지역사회 여건의 조성
2. 지역보건의료정책의 기획, 조사·연구 및 평가
3. 보건의료인 및 「보건의료기본법」 제3조제4호에 따른 보건의료기관 등에 대한 지도·관리·육성과 국민보건 향상을 위한 지도·관리
4. 보건의료 관련기관·단체, 학교, 직장 등과의 협력체계 구축
5. 지역주민의 건강증진 및 질병예방·관리를 위한 다음 각 목의 지역보건의료서비스의 제공
   가. 국민건강증진·구강건강·영양관리사업 및 보건교육
   나. 감염병의 예방 및 관리
   다. 모성과 영유아의 건강유지·증진
   라. 여성·노인·장애인 등 보건의료 취약계층의 건강유지·증진
   마. 정신건강증진 및 생명존중에 관한 사항
   바. 지역주민에 대한 진료, 건강검진 및 만성질환 등의 질병관리에 관한 사항
   사. 가정 및 사회복지시설 등을 방문하여 행하는 보건의료사업

② 제1항에 따른 보건소 기능 및 업무 등에 관하여 필요한 세부 사항은 대통령령으로 정한다.

제12조(보건의료원) 보건소 중 「의료법」 제3조제2항제3호가목에 따른 병원의 요건을 갖춘 보건소는 보건의료원이라는 명칭을 사용할 수 있다.

제13조(보건지소의 설치) 지방자치단체는 보건소의 업무수행을 위하여 필요하다고 인정하는 경우에는 대통령령으로 정하는 기준에 따라 해당 지방자치단체의 조례로 보건소의 지소(이하 "보건지소"라 한다)를 설치할 수 있다.

제14조(건강생활지원센터의 설치) 지방자치단체는 보건소의 업무 중에서 특별히 지역주민의 만성질환 예방 및 건강한 생활습관 형성을 지원하는 건강생활지원센터를 대통령령으로 정하는 기준에 따라 해당 지방자치단체의 조례로 설치할 수 있다.

제15조(지역보건의료기관의 조직) 지역보건의료기관의 조직은 대통령령으로 정하는 사항 외에는 「지방자치법」 제112조에 따른다.

제16조(전문인력의 적정 배치 등) ① 지역보건의료기관에는 기관의 장과 해당 기관의 기능을 수행하는 데 필요한 면허·자격 또는 전문지식을 가진 인력(이하 "전문인력"이라 한다)을 두어야 한다.

② 시·도지사(특별자치시장·특별자치도지사를 포함한다)는 지역보건의료기관의 전문인력을 적정하게 배치하기 위하여 필요한 경우 「지방공무원법」 제30조의2제2항에 따라 지역보건의료기관 간에 전문인력의 교류를 할 수 있다.

③ 보건복지부장관과 시·도지사(특별자치시장·특별자치도지사를 포함한다)는 지역보건의료기관의 전문인력의 자질 향상을 위하여 필요한 교육훈련을 시행하여야 한다.

④ 보건복지부장관은 지역보건의료기관의 전문인력의 배치 및 운영 실태를 조사할 수 있으며, 그 배치 및 운영이 부적절하다고 판단될 때에는 그 시정을 위하여 시·도지사 또는 시장·군수·구청장에게 권고할 수 있다.

⑤ 제1항에 따른 전문인력의 배치 및 임용자격 기준과 제3항에 따른 교육훈련의 대상·기간·평가 및 그 결과 처리 등에 필요한 사항은 대통령령으로 정한다.

제17조(지역보건의료기관의 시설·장비 등) ① 지역보건의료기관은 보건복지부령으로 정하는 기준에 적합한 시설·장비 등을 갖추어야 한다.

② 지역보건의료기관의 장은 지역주민이 지역보건의료기관을 쉽게 알아볼 수 있고 이용하기에 편리하도록 보건복지부령으로 정하는 표시를 하여야 한다.

제18조(시설의 이용) 지역보건의료기관은 보건의료에 관한 실험 또는 검사를 위하여 의사·치과의사·한의사·약사 등에게 그 시설을 이용하게 하거나, 타인의 의뢰를 받아 실험 또는 검사를 할 수 있다.

제4장 지역보건의료서비스의 실시

제19조(지역보건의료서비스의 신청) ① 지역보건의료서비스 중 보건복지부령으로 정하는 서비스를 필요로 하는 사람(이하 "서비스대상자"라 한다)과 그 친족, 그 밖의 관계인은 관할 시장·군수·구청장에게 지역보건의료서비스의 제공(이하 "서비스 제공"이라 한다)을 신청할 수 있다.

② 시장·군수·구청장이 제1항에 따른 서비스 제공 신청을 받는 경우 제20조에 따라 조사하려 하거나 제출받으려는 자료 또는 정보에 관하여 서비스대상자와 그 서비스대상자의 1촌 직계혈족 및 그 배우자(이하 "부양의무자"라 한다)에게 다음 각 호의 사항을 알리고, 해당 자료 또는 정보의 수집에 관한 동의를 받아야 한다.

1. 법적 근거, 이용 목적 및 범위
2. 이용 방법
3. 보유기간 및 파기방법

③ 서비스 제공의 신청인은 서비스 제공 신청을 철회하는 경우 시장·군수·구청장에게 조사하거나 제출한 자료 또는 정보의 반환 또는 삭제를 요청할 수 있다. 이 경우 요청을 받은 시장·군수·구청장은 특별한 사유가 없으면 그 요청에 따라야 한다.

④ 제1항부터 제3항까지의 규정에 따른 서비스 제공의 신청·철회 및 고지·동의 방법 등에 관하여 필요한 사항은 보건복지부령으로 정한다.

제20조(신청에 따른 조사) ① 시장·군수·구청장은 제19조제1항에 따라 서비스 제공 신청을 받으면 서비스대상자와 부양의무자의 소득·재산 등에 관하여 조사하여야 한다.

② 시장·군수·구청장은 제1항에 따른 조사에 필요한 자료를 확보하기 위하여 서비스대상자 또는 그

부양의무자에게 필요한 자료 또는 정보의 제출을 요구할 수 있다.

③ 제1항에 따른 조사의 실시는 「사회복지사업법」 제33조의3에 따른다.

제21조(서비스 제공의 결정 및 실시) ① 시장·군수·구청장은 제20조에 따른 조사를 하였을 때에는 예산 상황 등을 고려하여 서비스 제공의 실시 여부를 결정한 후 이를 서면이나 전자문서로 신청인에게 통보하여야 한다.

② 시장·군수·구청장은 서비스대상자에게 서비스 제공을 하기로 결정하였을 때에는 서비스 제공기간 등을 계획하여 그 계획에 따라 지역보건의료서비스를 제공하여야 한다.

제22조(정보의 파기) ① 시장·군수·구청장은 제20조에 따라 조사하거나 제출받은 정보 중 서비스대상자가 아닌 사람의 정보는 5년을 초과하여 보유할 수 없다. 이 경우 시장·군수·구청장은 정보의 보유기한이 지나면 지체 없이 이를 파기하여야 한다.

② 시장·군수·구청장은 제1항에 따른 정보가 지역보건의료정보시스템 또는 「사회복지사업법」 제6조의2에 따른 정보시스템에 수집되어 있는 경우 보건복지부장관에게 해당 정보의 파기를 요청할 수 있다. 이 경우 보건복지부장관은 지체 없이 이를 파기하여야 한다.

제23조(건강검진 등의 신고) ① 「의료법」 제27조제1항 각 호의 어느 하나에 해당하는 사람이 지역주민 다수를 대상으로 건강검진 또는 순회 진료 등 주민의 건강에 영향을 미치는 행위(이하 "건강검진등"이라 한다)를 하려는 경우에는 보건복지부령으로 정하는 바에 따라 건강검진등을 하려는 지역을 관할하는 보건소장에게 신고하여야 한다.

② 의료기관이 「의료법」 제33조제1항 각 호의 어느 하나에 해당하는 사유로 의료기관 외의 장소에서 지역주민 다수를 대상으로 건강검진등을 하려는 경우에도 제1항에 따른 신고를 하여야 한다.

제5장 보칙

제24조(비용의 보조) ① 국가와 시·도는 지역보건의료기관의 설치와 운영에 필요한 비용 및 지역보건의료계획의 시행에 필요한 비용의 일부를 보조할 수 있다.

② 제1항에 따라 보조금을 지급하는 경우 설치비와 부대비에 있어서는 그 3분의 2 이내로 하고, 운영비 및 지역보건의료계획의 시행에 필요한 비용에 있어서는 그 2분의 1 이내로 한다.

제25조(수수료 등) ① 지역보건의료기관은 그 시설을 이용한 자, 실험 또는 검사를 의뢰한 자 또는 진료를 받은 자로부터 수수료 또는 진료비를 징수할 수 있다.

② 제1항에 따른 수수료와 진료비는 보건복지부령으로 정하는 기준에 따라 해당 지방자치단체의 조례로 정한다.

제26조(지역보건의료기관의 회계) 지역보건의료기관의 수수료 및 진료비의 수입은 「지방회계법」 제26조에 따른 수입 대체 경비로 직접 지출할 수 있으며, 회계 사무는 해당 지방자치단체의 규칙으로 정하는 바에 따라 간소화할 수 있다. 〈개정 2016.5.29.〉

제27조(보고 등) 보건복지부장관은 지방자치단체에 대하여 보건복지부령으로 정하는 바에 따라 지역보건의료기관의 설치·운영에 관한 사항을 보고하게 하거나 소속 공무원으로 하여금 지역보건의료기관에 대하여 실태조사 등 지도·감독을 할 수 있다.

제28조(개인정보의 누설금지) 지역보건의료기관(「농어촌 등 보건의료를 위한 특별조치법」 제2조제4호에 따른 보건진료소를 포함한다)의 기능 수행과 관련한 업무에 종사하였거나 종사하고 있는 사람 또는 지역보건의료정보시스템을 구축·운영하였거나 구축·운영하고 있는 자(제30조제2항 및 제4항에 따라 위탁받거나 대행하는 업무에 종사하거나 종사하였던 자를 포함한다)는 업무상 알게 된 다음 각 호의 정보를 업무 외의 목적으로 사용하거나 다른 사람에게 제공 또는 누설하여서는 아니 된다.

1. 보건의료인이 진료과정(건강검진을 포함한다)에서 알게 된 개인 및 가족의 진료 정보
2. 제20조에 따라 조사하거나 제출받은 다음 각 호의 정보
   가. 금융정보(「국민기초생활 보장법」 제21조제3항제1호의 금융정보를 말한다. 이하 같다)
   나. 신용정보 또는 보험정보(「국민기초생활 보장법」 제21조제3항제2호·제3호의 신용정보 및 보험정보를 말한다. 이하 같다)
3. 제1호 및 제2호를 제외한 개인정보(「개인정보 보호법」 제2조제1호의 개인정보를 말한다. 이하 같다)

제29조(동일 명칭 사용금지) 이 법에 따른 보건소, 보건의료원, 보건지소 또는 건강생활지원센터가 아닌 자는 각각 보건소, 보건의료원, 보건지소 또는 건강생활지원센터라는 명칭을 사용하지 못한다.

제30조(권한의 위임 등) ① 이 법에 따른 보건복지부장관의 권한은 대통령령으로 정하는 바에 따라 그 일부를 시·도지사 또는 시장·군수·구청장에게 위임할 수 있다.

② 시·도지사 또는 시장·군수·구청장은 이 법에 따른 지역보건의료기관의 기능 수행에 필요한 업무의 일부를 대통령령으로 정하는 바에 따라 보건의료 관련기관·단체에 위탁하거나, 「의료법」 제2조에 따른 의료인에게 대행하게 할 수 있다.

③ 시·도지사 또는 시장·군수·구청장은 제2항에 따라 업무를 위탁한 경우에는 그 비용의 전부 또는 일부를 보조할 수 있고, 의료인에게 그 업무의 일부를 대행하게 한 경우에는 그 업무수행에 드는 실비(實費)를 보조할 수 있다.

④ 보건복지부장관은 지역보건의료정보시스템의 구축·운영 등에 관한 업무를 「사회복지사업법」 제6조의3에 따른 전담기구에 대행하게 할 수 있다.

⑤ 보건복지부장관은 제4항에 따라 업무를 대행하게 한 경우에는 예산의 범위에서 그에 필요한 비용을 보조할 수 있다.

제31조(「의료법」에 대한 특례) 제12조에 따른 보건의료원은 「의료법」 제3조제2항제3호가목에 따른 병원 또는 같은 항 제1호나목·다목에 따른 치과의원 또는 한의원으로 보고, 보건소·보건지소 및 건강생활지원센터는 같은 호에 따른 의원·치과의원 또는 한의원으로 본다.

제6장 벌칙

제32조(벌칙) ① 제5조제3항을 위반하여 정당한 접근 권한 없이 또는 허용된 접근 권한을 넘어 지역보건의료정보시스템의 정보를 훼손·멸실·변경·위조 또는 유출한 자는 5년 이하의 징역 또는 5천만원 이하의 벌금에 처한다.

② 제28조를 위반하여 제28조제1호에 따른 정보 또는 같은 조 제2호가목에 따른 금융정보를 사용·제공·누설한 자 및 그 사정을 알면서도 영리 목적 또는 부정한 목적으로 해당 정보를 제공받은 자는 5년 이하의 징역 또는 3천만원 이하의 벌금에 처한다.

③ 다음 각 호의 어느 하나에 해당하는 자는 3년 이하의 징역 또는 2천만원 이하의 벌금에 처한다.

1. 제5조제3항을 위반하여 정당한 접근 권한 없이 또는 허용된 접근 권한을 넘어 지역보건의료정보시스템의 정보를 검색 또는 복제한 자
2. 제28조를 위반하여 제28조제2호나목에 따른 신용정보·보험정보 또는 같은 조 제3호에 따른 개인정보를 사용·제공 또는 누설한 자 및 그 사정을 알면서도 영리 목적 또는 부정한 목적으로 해당 정보를 제공받은 자

제33조(양벌규정) 법인의 대표자나 법인 또는 개인의 대리인·사용인, 그 밖의 종업원이 그 법인 또는 개인의 업무에 관하여 제32조의 위반행위를 하면 그 행위자를 벌하는 외에 그 법인 또는 개인에게도 해당 조문의 벌금형을 과(科)한다. 다만, 법인 또는 개인이 그 위반행위를 방지하기 위하여 해당 업무에 관하여 상당한 주의와 감독을 게을리하지 아니한 경우에는 그러하지 아니하다.

제34조(과태료) ① 다음 각 호의 어느 하나에 해당하

는 자에게는 300만원 이하의 과태료를 부과한다.

1. 제23조에 따른 신고를 하지 아니하거나 거짓으로 신고하고 건강검진등을 한 자

2. 제29조를 위반하여 동일 명칭을 사용한 자

② 제1항에 따른 과태료는 해당 지방자치단체의 조례에서 정하는 바에 따라 해당 시장·군수·구청장이 부과·징수한다.

부칙 〈제13323호, 2015.5.18.〉

제1조(시행일) 이 법은 공포 후 6개월이 경과한 날부터 시행한다.

제2조(보건소 등의 설치에 관한 경과조치) 이 법 시행 당시 종전의 규정에 따라 설치된 보건소, 보건의료원 및 보건지소는 이 법에 따라 설치된 것으로 본다.

제3조(다른 법률의 개정) ① 건강검진기본법 일부를 다음과 같이 개정한다.

제14조제1항 중 "「지역보건법」 제7조"를 "「지역보건법」 제10조"로 한다.

② 결핵예방법 일부를 다음과 같이 개정한다.

제5조제3항 후단 중 "「지역보건법」 제3조"를 "「지역보건법」 제7조"로 한다.

③ 국민건강증진법 일부를 다음과 같이 개정한다.

제5조의3제2항제7호 중 "「지역보건법」 제3조부터 제6조까지"를 "「지역보건법」 제7조부터 제9조까지"로 하고, 같은 항 제8호 중 "「지역보건법」 제19조"를 "「지역보건법」 제24조"로 한다.

④ 법률 제12935호 사회보장급여의 이용·제공 및 수급권자 발굴에 관한 법률 일부를 다음과 같이 개정한다.

제11조제4호 중 "「지역보건법」 제7조"를 "「지역보건법」 제10조"로 한다.

제13조제2항제19호 중 "「지역보건법」 제9조제12호"를 "「지역보건법」 제11조제1항제5호사목"으로 한다.

⑤ 산업재해보상보험법 일부를 다음과 같이 개정한다.

제43조제1항제3호 중 "「지역보건법」 제7조"를 "「지역

보건법」 제10조"로, "「지역보건법」 제8조"를 "「지역보건법」 제12조"로 한다.

⑥ 암관리법 일부를 다음과 같이 개정한다.

제5조제4항 중 "「지역보건법」 제3조"를 "「지역보건법」 제7조"로 한다.

⑦ 영유아보육법 일부를 다음과 같이 개정한다.

제32조제3항 중 "「지역보건법」 제7조와 제10조"를 "「지역보건법」 제10조와 제13조"로 한다.

⑧ 장애아동 복지지원법 일부를 다음과 같이 개정한다.

제10조제1항제9호 중 "「지역보건법」 제7조"를 "「지역보건법」 제10조"로 한다.

⑨ 정신보건법 일부를 다음과 같이 개정한다.

제4조의3제1항 후단 중 "「지역보건법」 제3조"를 "「지역보건법」 제7조"로 한다.

제4조(다른 법령과의 관계) 이 법 시행 당시 다른 법령에서 종전의 「지역보건법」의 규정을 인용하고 있는 경우 이 법 가운데 그에 해당하는 규정이 있을 때에는 종전의 규정을 갈음하여 이 법의 해당 규정을 인용한 것으로 본다.

부칙 〈제14009호, 2016.2.3.〉

이 법은 공포 후 6개월이 경과한 날부터 시행한다.

부칙 〈제14197호, 2016.5.29.〉 (지방회계법)

제1조(시행일) 이 법은 공포 후 6개월이 경과한 날부터 시행한다. 〈단서 생략〉

제2조 생략

제3조(다른 법률의 개정) ①부터 ⑧까지 생략

⑨ 지역보건법 일부를 다음과 같이 개정한다.

제26조 중 "「지방재정법」 제16조"를 "「지방회계법」 제26조"로 한다.

⑩ 생략

제4조 생략

2) 지역보건법시행령

[시행 2015.11.19.] [대통령령 제26651호, 2015.11.18., 전부개정]

제1조(목적) 이 영은 「지역보건법」에서 위임된 사항과 그 시행에 필요한 사항을 규정함을 목적으로 한다.

제2조(지역사회 건강실태조사의 방법 및 내용) ① 보건복지부장관은 「지역보건법」(이하 "법"이라 한다) 제4조제1항에 따른 지역사회 건강실태조사(이하 "지역사회 건강실태조사"라 한다)를 매년 지방자치단체의 장에게 협조를 요청하여 실시한다.

② 제1항에 따라 협조 요청을 받은 지방자치단체의 장은 매년 보건소(보건의료원을 포함한다. 이하 같다)를 통하여 지역 주민을 대상으로 지역사회 건강실태조사를 실시하여야 한다. 이 경우 지방자치단체의 장은 지역사회 건강실태조사의 결과를 보건복지부장관에게 통보하여야 한다.

③ 지역사회 건강실태조사는 표본조사를 원칙으로 하되, 필요한 경우에는 전수조사를 할 수 있다.

④ 지역사회 건강실태조사의 내용에는 다음 각 호의 사항이 포함되어야 한다.

1. 흡연, 음주 등 건강 관련 생활습관에 관한 사항
2. 건강검진 및 예방접종 등 질병 예방에 관한 사항
3. 질병 및 보건의료서비스 이용 실태에 관한 사항
4. 사고 및 중독에 관한 사항
5. 활동의 제한 및 삶의 질에 관한 사항
6. 그 밖에 지역사회 건강실태조사에 포함되어야 한다고 보건복지부장관이 정하는 사항

제3조(지역보건의료심의위원회의 구성과 운영) ① 법 제6조제2항 본문에서 "대통령령으로 정하는 부단체장"이란 「지방자치법 시행령」 제73조제2항에 따른 행정부시장이나 행정부지사를 말한다. 이 경우 행정부시장이나 행정부지사가 2명 있는 지방자치단체는 행정(1)부시장이나 행정(1)부지사를 말한다.

② 법 제6조에 따른 지역보건의료심의위원회(이하 "위원회"라 한다)에 출석한 위원에게는 예산의 범위에서 수당과 여비를 지급할 수 있다. 다만, 공무원인 위원이 그 소관 업무와 직접 관련되어 참석하는 경우에는 그러하지 아니하다.

③ 제1항 및 제2항에서 규정한 사항 외에 위원회의 구성과 운영에 필요한 사항은 해당 지방자치단체의 조례로 정한다.

제4조(지역보건의료계획의 세부 내용) ① 특별시장·광역시장·도지사(이하 "시·도지사"라 한다) 및 특별자치시장·특별자치도지사는 법 제7조제1항에 따라 수립하는 지역보건의료계획(이하 "지역보건의료계획"이라 한다)에 다음 각 호의 내용을 포함시켜야 한다.

1. 지역보건의료계획의 달성 목표
2. 지역현황과 전망
3. 지역보건의료기관과 보건의료 관련기관·단체 간의 기능 분담 및 발전 방향
4. 법 제11조에 따른 보건소의 기능 및 업무의 추진계획과 추진현황
5. 지역보건의료기관의 인력·시설 등 자원 확충 및 정비 계획
6. 취약계층의 건강관리 및 지역주민의 건강 상태 격차 해소를 위한 추진계획
7. 지역보건의료와 사회복지사업 사이의 연계성 확보 계획
8. 의료기관의 병상(病床)의 수요·공급
9. 정신질환 등의 치료를 위한 전문치료시설의 수요·공급
10. 특별자치시·특별자치도·시·군·구(구는 자치구를 말하며, 이하 "시·군·구"라 한다) 지역보건의료기관의 설치·운영 지원
11. 시·군·구 지역보건의료기관 인력의 교육훈련
12. 지역보건의료기관과 보건의료 관련기관·단체 간의 협력·연계
13. 그 밖에 시·도지사 및 특별자치시장·특별자치도지사가 지역보건의료계획을 수립함에 있어서 필요하다고 인정하는 사항

② 시장·군수·구청장(구청장은 자치구의 구청장을 말한다. 이하 같다)은 지역보건의료계획에 다음 각

호의 내용을 포함시켜야 한다.

1. 제1항제1호부터 제7호까지의 내용

2. 그 밖에 시장·군수·구청장이 지역보건의료계획을 수립함에 있어서 필요하다고 인정하는 사항

제5조(지역보건의료계획의 수립 방법 등) ① 시·도지사 또는 특별자치시장·특별자치도지사·시장·군수·구청장(이하 "시장·군수·구청장"이라 한다)은 지역보건의료계획을 수립하기 전에 지역 내 보건의료실태와 지역주민의 보건의료의식·행동양상 등에 대하여 조사하고 자료를 수집하여야 한다.

② 시·도지사 또는 시장·군수·구청장은 제1항에 따른 지역 내 보건의료실태 조사 결과에 따라 해당 지역에 필요한 사업 계획을 포함하여 지역보건의료계획을 수립하되 국가 또는 특별시·광역시·도(이하 "시·도"라 한다)의 보건의료시책에 맞춰 수립하여야 한다.

③ 시·도지사 또는 시장·군수·구청장은 지역보건의료계획을 수립하는 경우에 그 주요 내용을 시·도 또는 시·군·구의 홈페이지 등에 2주 이상 공고하여 지역주민의 의견을 수렴하여야 한다.

제6조(지역보건의료계획의 제출 시기 등) ① 시장·군수·구청장(특별자치시장·특별자치도지사는 제외한다. 이하 이 조 및 제7조에서 같다)은 법 제7조제3항에 따라 지역보건의료계획(연차별 시행계획을 포함한다. 이하 이 조에서 같다)을 계획 시행연도 1월 31일까지 시·도지사에게 제출하여야 한다.

② 시·도지사(특별자치시장·특별자치도지사를 포함한다)는 법 제7조제4항에 따라 지역보건의료계획을 계획 시행연도 2월 말일까지 보건복지부장관에게 제출하여야 한다.

③ 시장·군수·구청장은 지역 내 인구의 급격한 변화 등 예측하지 못한 보건의료환경 변화에 따라 지역보건의료계획을 변경할 필요가 있는 경우에는 시·군·구(특별자치시·특별자치도는 제외한다. 이하 이 조 및 제7조에서 같다) 위원회의 심의를 거쳐 변경한 후 시·군·구 의회에 변경 사실 및 변경 내용

을 보고하고, 시·도지사에게 지체 없이 변경 사실 및 변경 내용을 제출하여야 한다.

④ 시·도지사(특별자치시장·특별자치도지사를 포함한다)는 지역 내 인구의 급격한 변화 등 예측하지 못한 보건의료환경 변화에 따라 지역보건의료계획을 변경할 필요가 있는 경우에는 시·도(특별자치시·특별자치도를 포함한다. 이하 이 조 및 제7조에서 같다) 위원회의 심의를 거쳐 변경한 후 시·도 의회에 변경 사실 및 변경 내용을 보고하고, 보건복지부장관에게 지체 없이 변경 사실 및 변경 내용을 제출하여야 한다.

제7조(지역보건의료계획 시행 결과의 평가) ① 시장·군수·구청장은 법 제9조제1항에 따른 지역보건의료계획 시행 결과의 평가를 위하여 해당 시·군·구 지역보건의료계획의 연차별 시행계획에 따른 시행 결과를 매 시행연도 다음 해 1월 31일까지 시·도지사에게 제출하여야 한다.

② 시·도지사(특별자치시장·특별자치도지사를 포함한다)는 법 제9조제1항에 따른 지역보건의료계획 시행 결과의 평가를 위하여 해당 시·도 지역보건의료계획의 연차별 시행계획에 따른 시행 결과를 매 시행연도 다음 해 2월 말일까지 보건복지부장관에게 제출하여야 한다.

③ 보건복지부장관 또는 시·도지사는 제1항 또는 제2항에 따라 제출받은 지역보건의료계획의 연차별 시행계획에 따른 시행 결과를 평가하려는 경우에는 다음 각 호의 기준에 따라 평가하여야 한다.

1. 지역보건의료계획 내용의 충실성

2. 지역보건의료계획 시행 결과의 목표달성도

3. 보건의료자원의 협력 정도

4. 지역주민의 참여도와 만족도

5. 그 밖에 지역보건의료계획의 연차별 시행계획에 따른 시행 결과를 평가하기 위하여 보건복지부장관이 필요하다고 정하는 기준

④ 보건복지부장관 또는 시·도지사는 제3항에 따라 지역보건의료계획의 연차별 시행계획에 따른 시행

결과를 평가한 경우에는 그 평가 결과를 공표할 수 있다.

제8조(보건소의 설치) ① 법 제10조에 따른 보건소는 시·군·구별로 1개씩 설치한다. 다만, 지역주민의 보건의료를 위하여 특별히 필요하다고 인정되는 경우에는 필요한 지역에 보건소를 추가로 설치·운영할 수 있다.

② 제1항 단서에 따라 보건소를 추가로 설치하려는 경우에는 「지방자치법 시행령」 제75조에 따른다. 이 경우 행정자치부장관은 보건복지부장관과 미리 협의하여야 한다.

제9조(보건소의 기능 및 업무의 세부 사항) ① 법 제11조제1항제2호에 따른 지역보건의료정책의 기획, 조사·연구 및 평가의 세부 사항은 다음 각 호와 같다.

1. 지역보건의료계획 등 보건의료 및 건강증진에 관한 중장기 계획 및 실행계획의 수립·시행 및 평가에 관한 사항

2. 지역사회 건강실태조사 등 보건의료 및 건강증진에 관한 조사·연구에 관한 사항

3. 보건에 관한 실험 또는 검사에 관한 사항

② 법 제11조제1항제3호에 따른 보건의료인 및 「보건의료기본법」 제3조제4호에 따른 보건의료기관 등에 대한 지도·관리·육성과 국민보건 향상을 위한 지도·관리의 세부 사항은 다음 각 호와 같다.

1. 의료인 및 의료기관에 대한 지도 등에 관한 사항

2. 의료기사·의무기록사 및 안경사에 대한 지도 등에 관한 사항

3. 응급의료에 관한 사항

4. 「농어촌 등 보건의료를 위한 특별조치법」에 따른 공중보건의사, 보건진료 전담공무원 및 보건진료소에 대한 지도 등에 관한 사항

5. 약사에 관한 사항과 마약·향정신성의약품의 관리에 관한 사항

6. 공중위생 및 식품위생에 관한 사항

제10조(보건지소의 설치) 법 제13조에 따른 보건지소는 읍·면(보건소가 설치된 읍·면은 제외한다)마다 1개씩 설치할 수 있다. 다만, 지역주민의 보건의료를 위하여 특별히 필요하다고 인정되는 경우에는 필요한 지역에 보건지소를 설치·운영하거나 여러 개의 보건지소를 통합하여 설치·운영할 수 있다.

제11조(건강생활지원센터의 설치) 법 제14조에 따른 건강생활지원센터는 읍·면·동(보건소가 설치된 읍·면·동은 제외한다)마다 1개씩 설치할 수 있다.

제12조(지역보건의료기관의 조직 기준) ① 행정자치부장관은 법 제15조에 따라 지역보건의료기관의 조직 기준을 정하는 경우에 미리 보건복지부장관과 협의하여야 한다.

② 행정자치부장관은 제1항에 따른 지역보건의료기관의 조직 기준을 정하는 경우에 해당 시·군·구의 인구 규모, 지역 특성, 보건의료 수요 등을 고려하여야 하고, 다른 지방자치단체와의 균형을 유지하도록 합리적으로 정하여야 한다.

③ 지역보건의료기관의 기능과 업무량이 변경될 경우에는 그에 따라 지역보건의료기관의 조직과 정원도 조정하여야 한다.

제13조(보건소장) ① 보건소에 보건소장(보건의료원의 경우에는 원장을 말한다. 이하 같다) 1명을 두되, 의사 면허가 있는 사람 중에서 보건소장을 임용한다. 다만, 의사 면허가 있는 사람 중에서 임용하기 어려운 경우에는 「지방공무원 임용령」 별표 1에 따른 보건·식품위생·의료기술·의무·약무·간호·보건진료(이하 "보건등"이라 한다) 직렬의 공무원을 보건소장으로 임용할 수 있다.

② 제1항 단서에 따라 보건등 직렬의 공무원을 보건소장으로 임용하려는 경우에 해당 보건소에서 실제로 보건등과 관련된 업무를 하는 보건등 직렬의 공무원으로서 보건소장으로 임용되기 이전 최근 5년 이상 보건등의 업무와 관련하여 근무한 경험이 있는 사람 중에서 임용하여야 한다.

③ 보건소장은 시장·군수·구청장의 지휘·감독을 받아 보건소의 업무를 관장하고 소속 공무원을 지휘·감독하며, 관할 보건지소, 건강생활지원센터 및

「농어촌 등 보건의료를 위한 특별조치법」 제2조제4호에 따른 보건진료소(이하 "보건진료소"라 한다)의 직원 및 업무에 대하여 지도·감독한다.

제14조(보건지소장) ① 보건지소에 보건지소장 1명을 두되, 지방의무직공무원 또는 임기제공무원을 보건지소장으로 임용한다.

② 보건지소장은 보건소장의 지휘·감독을 받아 보건지소의 업무를 관장하고 소속 직원을 지휘·감독하며, 보건진료소의 직원 및 업무에 대하여 지도·감독한다.

제15조(건강생활지원센터장) ① 건강생활지원센터에 건강생활지원센터장 1명을 두되, 보건등 직렬의 공무원 또는 「보건의료기본법」 제3조제3호에 따른 보건의료인을 건강생활지원센터장으로 임용한다.

② 건강생활지원센터장은 보건소장의 지휘·감독을 받아 건강생활지원센터의 업무를 관장하고 소속 직원을 지휘·감독한다.

제16조(전문인력의 배치 기준) 법 제16조제1항에 따라 지역보건의료기관에 두어야 하는 전문인력(이하 "전문인력"이라 한다)의 면허 또는 자격의 종류에 따른 최소 배치 기준은 보건복지부령으로 정한다.

제17조(전문인력의 임용 자격 기준) 전문인력의 임용 자격 기준은 지역보건의료기관의 기능을 수행하는 데 필요한 면허·자격 또는 전문지식이 있는 사람으로 하되, 해당 분야의 업무에서 2년 이상 종사한 사람을 우선적으로 임용하여야 한다.

제18조(전문인력에 대한 교육훈련) ① 보건복지부장관 또는 시·도지사(특별자치시장·특별자치도지사를 포함한다. 이하 이 조에서 같다)는 법 제16조제3항에 따라 전문인력에 대하여 기본교육훈련과 직무분야별 전문교육훈련을 실시하여야 한다.

② 보건복지부장관 또는 시·도지사는 제1항에 따른 교육훈련을 소속 교육훈련기관에서 받게 하거나 다른 행정기관 소속의 교육훈련기관 또는 민간교육기관에 위탁하여 받게 할 수 있다.

제19조(교육훈련의 대상 및 기간) 법 제16조제3항에 따

른 교육훈련 과정별 교육훈련의 대상 및 기간은 다음 각 호의 구분에 따른다.

1. 기본교육훈련: 해당 직급의 공무원으로서 필요한 능력과 자질을 배양할 수 있도록 신규로 임용되는 전문인력을 대상으로 하는 3주 이상의 교육훈련

2. 직무 분야별 전문교육훈련: 보건소에서 현재 담당하고 있거나 담당할 직무 분야에 필요한 전문적인 지식과 기술을 습득할 수 있도록 재직 중인 전문인력을 대상으로 하는 1주 이상의 교육훈련

제20조(전문인력 배치 및 운영 실태 조사) ① 보건복지부장관은 법 제16조제4항에 따라 지역보건의료기관의 전문인력 배치 및 운영 실태를 2년마다 조사하여야 하며, 필요한 경우에는 시·도 또는 시·군·구에 대하여 수시로 조사할 수 있다.

② 보건복지부장관은 제1항에 따른 실태 조사 결과 전문인력의 적절한 배치 및 운영에 필요하다고 판단하는 경우에는 시·도지사(특별자치시장·특별자치도지사를 포함한다)에게 전문인력의 교류를 권고할 수 있다.

제21조(전문인력의 결원 보충) 시·도지사(특별자치시장·특별자치도지사를 포함한다) 또는 시장·군수·구청장(특별자치시장·특별자치도지사는 제외한다)은 지역보건의료기관에 전문인력의 결원이 생겼을 때에는 지체 없이 결원 보충에 필요한 조치를 하여야 한다.

제22조(시설이용의 편의제공 등) ① 지역보건의료기관의 장은 법 제18조에 따른 지역보건의료기관의 시설 이용, 타인이 의뢰한 실험 또는 검사를 정당한 사유 없이 거부할 수 없으며 편의를 제공하여야 한다.

② 지역보건의료기관의 장은 제1항에 따라 타인의 의뢰를 받아 실험 또는 검사를 하였을 때에는 그 결과를 지체 없이 의뢰인에게 통지하여야 한다.

제23조(업무의 위탁 및 대행) ① 법 제30조제2항에 따라 시·도지사 또는 시장·군수·구청장은 다음 각 호의 업무를 보건의료 관련기관·단체에 위탁할 수 있다.

1. 법 제4조에 따른 지역사회 건강실태조사에 관한 업무

2. 법 제8조에 따른 지역보건의료계획의 시행에 관한 업무

3. 법 제11조제1항제5호나목에 따른 감염병의 예방 및 관리에 관한 업무

4. 법 제11조제1항제5호바목에 따른 지역주민에 대한 진료, 건강검진 및 만성질환 등 질병관리에 관한 사항 중 전문지식 및 기술이 필요한 진료, 실험 또는 검사 업무

5. 법 제11조제1항제5호사목에 따른 가정 및 사회복지시설 등을 방문하여 행하는 보건의료사업에 관한 업무

② 법 제30조제2항에 따라 시·도지사 또는 시장·군수·구청장은 「의료법」 제2조에 따른 의료인에게 법 제11조제1항제5호바목에 따른 지역주민에 대한 진료, 건강검진 및 만성질환 등 질병관리에 관한 사항 중 전문지식 및 기술이 필요한 진료에 관한 업무를 대행하게 할 수 있다.

③ 시·도지사 또는 시장·군수·구청장은 법 제30조제2항에 따라 제1항 각 호에 따른 업무를 위탁하는 경우 그 수탁자 및 위탁업무 등을 고시하여야 한다.

④ 법 제30조제3항에 따른 비용보조, 실비보조, 그 밖의 업무의 위탁 또는 대행에 필요한 사항은 해당 지방자치단체의 조례로 정한다.

제24조(민감정보 및 고유식별정보의 처리) ① 보건복지부장관(법 제30조제4항에 따라 보건복지부장관의 업무를 대행하는 자를 포함한다)은 다음 각 호의 사무를 수행하기 위하여 불가피한 경우 「개인정보 보호법 시행령」 제19조제1호, 제2호 또는 제4호에 따른 주민등록번호, 여권번호 또는 외국인등록번호가 포함된 자료를 처리할 수 있다.

1. 법 제5조에 따른 지역보건의료업무의 전자화에 관한 사무

2. 법 제27조에 따른 보고 및 지도·감독에 관한 사무

② 지역보건의료기관의 장(법 제30조제2항에 따라 지역보건의료기관의 업무를 위탁받거나 대행하는 자를 포함한다)은 법 제11조에 따른 보건소의 업무에 관한 사무를 수행하기 위하여 불가피한 경우 「개인정보 보호법」 제23조에 따른 건강에 관한 정보, 같은 법 시행령 제19조제1호, 제2호 또는 제4호에 따른 주민등록번호, 여권번호 또는 외국인등록번호가 포함된 자료를 처리할 수 있다.

③ 보건소장은 법 제23조에 따른 건강검진 등의 신고에 관한 사무를 수행하기 위하여 불가피한 경우 「개인정보 보호법 시행령」 제19조제1호, 제2호 또는 제4호에 따른 주민등록번호, 여권번호 또는 외국인등록번호가 포함된 자료를 처리할 수 있다.

부칙 〈제26651호, 2015.11.18.〉

제1조(시행일) 이 영은 2015년 11월 19일부터 시행한다.

제2조(다른 법령의 개정) ① 공공보건의료에 관한 법률 시행령 일부를 다음과 같이 개정한다.

제3조제3항 중 "「지역보건법」 제3조"를 "「지역보건법」 제7조"로 한다.

② 국민건강보험법 시행령 일부를 다음과 같이 개정한다.

제21조제3항제2호 중 "「지역보건법」 제8조"를 "「지역보건법」 제12조"로 한다.

③ 모자보건법 시행령 일부를 다음과 같이 개정한다.

제10조제2항 중 "「지역보건법」 제7조 및 같은 법 시행령 제7조"를 "「지역보건법」 제10조 및 같은 법 시행령 제8조"로 한다.

④ 사회보장급여의 이용·제공 및 수급권자 발굴에 관한 법률 시행령 일부를 다음과 같이 개정한다.

제8조제1항제3호 중 "「지역보건법」 제7조"를 "「지역보건법」 제10조"로 한다.

⑤ 장기공공임대주택 입주자 삶의 질 향상 지원법 시행령 일부를 다음과 같이 개정한다.

제2조제1항제4호 중 "「지역보건법」 제7조"를 "「지역보건법」 제10조"로, "같은 법 제10조"를 "같은 법 제13

조"로 한다.

⑥ 지방자치단체의 행정기구와 정원기준 등에 관한 규정 일부를 다음과 같이 개정한다.

제19조제3항 중 "「지역보건법」 제12조"를 "「지역보건법」 제16조"로 한다.

⑦ 청소년복지 지원법 시행령 일부를 다음과 같이 개정한다.

제4조제1항제9호 중 "「지역보건법」 제7조"를 "「지역보건법」 제10조"로 한다.

⑧ 허베이 스피리트호 유류오염사고 피해주민의 지원 및 해양환경의 복원 등에 관한 특별법 시행령 일부를 다음과 같이 개정한다.

제20조의3제1항제2호 중 "「지역보건법」 제7조"를 "「지역보건법」 제10조"로 한다.

제3조(다른 법령과의 관계) 이 영 시행 당시 다른 법령에서 종전의 「지역보건법시행령」 또는 그 규정을 인용하고 있는 경우 이 영 가운데 그에 해당하는 규정이 있을 때에는 종전의 규정을 갈음하여 이 영 또는 이 영의 해당 규정을 인용한 것으로 본다.

3) 지역보건법 시행규칙

[시행 2015.11.19.] [보건복지부령 제365호, 2015.11.18., 전부개정]

제1조(목적) 이 규정은 「지역보건법」 및 같은 법 시행령에서 위임된 사항과 그 시행에 필요한 사항을 규정함을 목적으로 한다.

제2조(지역보건의료계획의 조정 권고) ① 「지역보건법」(이하 "법"이라 한다) 제7조제7항에 따라 같은 조 제1항에 따른 지역보건의료계획(같은 조 제2항에 따른 연차별 시행계획을 포함한다. 이하 이 조에서 같다)의 내용에 대한 조정 권고가 필요한 경우는 다음 각 호의 어느 하나에 해당하는 경우로 한다.

1. 지역보건의료계획의 내용이 관계 법령을 위반한 경우

2. 지역보건의료계획의 내용이 국가 또는 특별시·광역시·특별자치시·특별자치도·도의 보건의료정책에 부합하지 아니하는 경우

3. 지방자치단체의 생활권역과 행정구역이 서로 다름에도 불구하고 해당 지방자치단체에서 그 사실을 고려하지 아니한 경우

4. 2개 이상의 지방자치단체에 걸친 광역보건의료행정에 대하여 해당 지방자치단체에서 그 사정을 고려하지 아니한 경우

5. 지방자치단체 간 지역보건의료계획의 내용에 현저한 불균형이 있는 경우

② 보건복지부장관 또는 특별시장·광역시장·도지사(이하 "시·도지사"라 한다)는 법 제7조제7항에 따라 지역보건의료계획의 조정 권고를 하는 경우에는 해당 지방자치단체의 장에게 관련 자료의 제출을 요구할 수 있다.

제3조(보건소에서 수행할 수 있는 기능 및 업무의 예시) 법 제11조제1항 및 「지역보건법 시행령」(이하 "영"이라 한다) 제9조에 따라 보건소(보건의료원을 포함한다. 이하 같다)에서 수행할 수 있는 기능 및 업무의 예시는 별표 1과 같다.

제4조(전문인력의 배치) ① 영 제16조에 따른 전문인력의 면허 또는 자격의 종류에 따른 최소 배치 기준은 별표 2와 같다.

② 특별자치시장·특별자치도지사·시장·군수·구청장(구청장은 자치구의 구청장을 말하며, 이하 "시장·군수·구청장"이라 한다)은 제1항의 전문인력 최소 배치 기준에 따른 전문인력의 정원을 확보하기 위하여 해당 특별자치시·특별자치도·시·군·구(구는 자치구를 말한다)의 직제 및 정원에 관한 규칙에 반영하여야 한다.

③ 시장·군수·구청장은 특별한 사유가 없으면 지역보건의료기관의 전문인력을 보유 면허 또는 자격과 관련되는 직위에 보직하여야 한다.

제5조(전문인력에 대한 교육훈련) ① 시장·군수·구청장은 신규로 임용되거나 5급 이상 공무원으로 승진

임용된 전문인력에 대해서는 특별한 사유가 없으면 그 직급과 직무분야에 맞는 영 제18조제1항 및 제19조제1호에 따른 기본교육훈련(이하 "기본교육훈련"이라 한다)을 받게 한 후에 보직하여야 한다. 다만, 보건복지부장관이 인정하는 교육훈련기관에서 정해진 과정을 마친 사람은 보직 후에 기본교육훈련을 받게 할 수 있다.

② 시·도지사(특별자치시장·특별자치도지사를 포함한다)는 영 제18조제2항에 따라 전문인력에 대한 교육훈련을 다른 행정기관 소속의 교육훈련기관 또는 민간교육훈련기관에 위탁하여 받게 한 경우에는 교육훈련비용의 전부 또는 일부를 해당 교육훈련기관에 보조할 수 있다.

③ 전문인력에 대한 교육훈련 과정, 교육훈련 내용, 교육훈련기관의 선정 등에 필요한 사항은 보건복지부장관이 정한다.

제6조(전문인력의 교류 권고) 영 제20조제2항에 따라 보건복지부장관이 시·도지사(특별자치시장·특별자치도지사를 포함한다)에게 전문인력의 적절한 배치 및 운영을 위한 전문인력의 교류를 권고할 수 있는 경우는 다음 각 호의 어느 하나에 해당하는 경우로 한다.

1. 전문인력의 균형 있는 배치를 위하여 교류하는 경우
2. 보건소 간의 협조를 위하여 인접 보건소 간에 교류하는 경우
3. 전문인력의 연고지 배치를 위하여 필요한 경우

제7조(지역보건의료기관의 시설·장비 및 표시) 법 제17조에 따른 지역보건의료기관의 시설·장비 및 표시의 기준은 별표 3과 같다.

제8조(지역보건의료서비스 제공의 신청·철회 및 고지·동의) ① 법 제19조제1항에서 "지역보건의료서비스 중 보건복지부령으로 정하는 서비스"란 소득, 재산, 건강상태 등에 따라 선별하여 제공하는 서비스를 말한다.

② 법 제19조제1항 및 제3항에 따라 지역보건의료서비스의 제공(이하 "서비스 제공"이라 한다)을 신청하거나 철회하려는 자는 지역보건의료서비스 신청서나 철회서(전자문서를 포함한다)에 관련 서류(전자문서를 포함한다)를 첨부하여 시장·군수·구청장에게 신청하거나 철회하여야 한다. 다만, 첨부하여야 하는 관련 서류 중 「전자정부법」 제36조제1항에 따른 행정정보의 공동이용을 통하여 관련 서류를 확인할 수 있는 경우에는 그 확인으로 첨부서류를 갈음하되, 신청인이 확인에 동의하지 아니하는 경우에는 그 서류를 첨부하여야 한다.

③ 시장·군수·구청장은 법 제19조제2항에 따라 알리거나 자료 또는 정보의 수집에 관한 동의를 받아야 하는 경우에는 서면 또는 전자적인 방법으로 하여야 한다. 다만, 서면 또는 전자적인 방법으로 알리기 곤란한 경우에는 전화, 담당 공무원의 안내 등의 방법으로 알릴 수 있다.

제9조(건강검진 등의 신고) 법 제23조에 따른 신고는 건강검진 등을 실시하기 3일 전까지 별지 제1호서식의 건강검진 등 신고서를 관할 보건소장(보건의료원장을 포함한다. 이하 같다)에게 제출하는 방법으로 하여야 한다. 이 경우 관할 보건소장은 「전자정부법」 제36조제1항에 따른 행정정보의 공동이용을 통하여 의료기관 개설허가증 또는 의료기관 개설신고증명서(의료기관만 해당한다)와 의사·치과의사 또는 한의사 면허증을 확인할 수 있는 경우에는 그 확인으로 첨부자료의 제공을 갈음할 수 있고, 신고인이 자료 확인에 동의하지 아니하는 경우에는 해당 자료를 첨부하도록 하여야 한다.

제10조(수수료 등) 법 제25조제2항에 따라 지역보건의료기관에서 징수하는 수수료와 진료비는 「국민건강보험법」 제45조제4항에 따라 보건복지부장관이 고시하는 요양급여비용 명세의 기준에 따라 지방자치단체의 조례로 정한다.

제11조(보고 등) ① 시장·군수·구청장(특별자치시장·특별자치도지사는 제외한다)은 법 제27조에 따라 지역보건의료기관의 설치·운영에 관하여 매년 12월

31일 기준으로 별지 제2호서식의 지역보건의료기관 설치·운영 현황을 작성하여 다음해 3월 31일까지 시·도지사를 거쳐 보건복지부장관에게 보고하여야 한다.

② 특별자치시장·특별자치도지사는 법 제27조에 따라 지역보건의료기관의 설치·운영에 관하여 매년 12월 31일 기준으로 별지 제2호서식의 지역보건의료기관 설치·운영 현황을 작성하여 다음해 3월 31일까지 보건복지부장관에게 보고하여야 한다.

③ 보건복지부장관은 지역보건의료기관의 설치·운영에 관한 지도·감독을 위하여 필요한 경우에는 소속 공무원으로 하여금 실태조사를 하게 할 수 있으며 실태조사 결과 부적절하다고 판단되는 경우에는 해당 지방자치단체의 장에게 시정을 요구하여야 한다.

④ 제1항 및 제2항에 따른 보고는 법 제5조에 따른 지역보건의료정보시스템에 입력 및 제출하는 방법으로 할 수 있다.

부칙 〈제365호, 2015.11.18.〉

제1조(시행일) 이 규칙은 2015년 11월 19일부터 시행한다.

제2조(다른 법령의 개정) ① 감염병의 예방 및 관리에 관한 법률 시행규칙 일부를 다음과 같이 개정한다.
제4조제4호 및 제14조제1항제1호부터 제3호까지 중 "「지역보건법」 제7조"를 각각 "「지역보건법」 제10조"로 한다.
제31조제1항제3호 중 "「지역보건법」 제10조"를 "지역보건법」 제13조"로 한다.

② 공공보건의료에 관한 법률 시행규칙 일부를 다음과 같이 개정한다.
제7조제3호 중 "「지역보건법」 제7조 및 제10조"를 "「지역보건법」 제10조 및 제13조"로 한다.

③ 국민영양관리법 시행규칙 일부를 다음과 같이 개정한다.
제3조제2항 중 "「지역보건법 시행령」 제5조"를 "「지역보건법」 제7조제2항"으로 한다.
제18조제3항제1호 중 "「지역보건법」 제7조 및 제10조"를 "「지역보건법」 제10조 및 제13조"로 한다.

④ 약사법 시행규칙 일부를 다음과 같이 개정한다.
제33조 중 "「지역보건법」 제10조"를 "「지역보건법」 제13조"로 한다.

⑤ 장애인복지법 시행규칙 일부를 다음과 같이 개정한다.
제3조제2항 중 "「지역보건법」 제7조 및 제10조"를 "「지역보건법」 제10조 및 제13조"로 한다.

⑥ 진단용 방사선 발생장치의 안전관리에 관한 규칙 일부를 다음과 같이 개정한다.
제3조제1항 각 호 외의 부분 중 "「지역보건법」 제7조·제8조 및 제10조"를 "「지역보건법」 제10조·제12조 및 제13조"로 한다.

제3조(다른 법령과의 관계) 이 규칙 시행 당시 다른 법령에서 종전의 「지역보건법 시행규칙」 또는 그 규정을 인용하고 있는 경우 이 규칙 가운데 그에 해당하는 규정이 있을 때에는 종전의 규정을 갈음하여 이 규칙 또는 이 규칙의 해당 규정을 인용한 것으로 본다.

3. 구강보건법

1) 구강보건법

[시행 2016.12.2.] [법률 제14317호, 2016.12.2., 일부개정]

제1장 총칙 〈개정 2012.10.22.〉

제1조(목적) 이 법은 국민의 구강보건(口腔保健)에 관하여 필요한 사항을 규정하여 구강보건사업을 효율적으로 추진함으로써 국민의 구강질환을 예방하고 구강건강을 증진함을 목적으로 한다. 〈개정 2015.5.18.〉

[전문개정 2012.10.22.]

제2조(정의) 이 법에서 사용하는 용어의 뜻은 다음과 같다. 〈개정 2015.5.18., 2016.12.2.〉

1. "구강보건사업"이란 구강질환의 예방·진단, 구강건강에 관한 교육·관리 등을 함으로써 국민의 구강건강을 유지·증진시키는 사업을 말한다.

2. "수돗물불소농도조정사업"이란 치아우식병(충치)의 발생을 예방하기 위하여 상수도 정수장 또는 수돗물 저장소에서 불소화합물 첨가시설을 이용하여 수돗물의 불소농도를 적정수준으로 유지·조정하는 사업 또는 이와 관련되는 사업을 말한다.

3. "구강관리용품"이란 구강질환 예방, 구강건강의 증진 및 유지 등의 목적으로 제조된 용품으로서 보건복지부장관이 정하는 것을 말한다.

[전문개정 2012.10.22.]

제3조(국가와 지방자치단체의 책무) 국가와 지방자치단체는 국민의 구강건강 증진을 위하여 필요한 계획을 수립·시행하고, 구강보건사업과 관련된 자료의 조사·연구, 인력 양성 등 그 사업 시행에 필요한 기술적·재정적 지원을 하여야 한다.

[전문개정 2012.10.22.]

제4조(국민의 의무) 국민은 구강건강증진을 위한 구강보건사업이 효율적으로 시행되도록 협력하여야 하며, 스스로의 구강건강 증진을 위하여 노력하여야 한다. 〈개정 2015.5.18.〉

[전문개정 2012.10.22.]

제4조의2(구강보건의 날) ① 구강보건에 대한 국민의 이해와 관심을 높이기 위하여 매년 6월 9일을 구강보건의 날로 정한다.

② 국가와 지방자치단체는 구강보건의 날의 취지에 부합하는 행사 등 사업을 시행할 수 있다.

[본조신설 2015.5.18.]

제2장 구강보건사업계획 수립 등 〈개정 2012.10.22.〉

제5조(구강보건사업기본계획의 수립) ① 보건복지부장관은 구강보건사업의 효율적인 추진을 위하여 5년마다 구강보건사업에 관한 기본계획(이하 "기본계획"이라 한다)을 수립하여야 한다. 〈개정 2015.5.18.〉

② 기본계획에는 다음 각 호의 사업이 포함되어야 한다. 〈신설 2015.5.18.〉

1. 구강보건에 관한 조사·연구 및 교육사업

2. 수돗물불소농도조정사업

3. 학교 구강보건사업

4. 사업장 구강보건사업

5. 노인·장애인 구강보건사업

6. 임산부·영유아 구강보건사업

7. 구강보건 관련 인력의 역량강화에 관한 사업

8. 그 밖에 구강보건사업과 관련하여 대통령령으로 정하는 사업

③ 보건복지부장관은 기본계획을 수립하거나 변경하려는 경우에는 관계 중앙행정기관의 장과 미리 협의하여야 한다. 다만, 대통령령으로 정하는 경미한 사항을 변경하는 경우에는 협의를 하지 아니할 수 있다. 〈신설 2015.5.18.〉

④ 기본계획의 수립절차 등에 필요한 사항은 보건복지부령으로 정한다. 〈개정 2015.5.18.〉

[전문개정 2012.10.22.]

[제목개정 2015.5.18.]

제6조(구강보건사업 세부계획 및 시행계획의 수립·시행) ① 특별시장·광역시장·특별자치시장·도지

사·특별자치도지사(이하 "시·도지사"라 한다)는 매년 기본계획에 따라 구강보건사업에 관한 세부계획(이하 "세부계획"이라 한다)을 수립·시행하여야 한다.

② 시장·군수·구청장(자치구의 구청장을 말한다. 이하 같다)은 매년 기본계획 및 세부계획에 따라 구강보건사업에 관한 시행계획(이하 "시행계획"이라 한다)을 수립·시행하여야 한다.

③ 세부계획 및 시행계획을 수립·시행하는 경우 제5조제2항제3호에 따른 학교 구강보건사업에 관하여는 해당 교육감 또는 교육장과 미리 협의하여야 한다.

④ 제1항 및 제2항에 따른 세부계획과 시행계획의 수립·시행에 필요한 사항은 보건복지부령으로 정한다.

[전문개정 2015.5.18.]

제7조(구강보건사업의 시행) ① 보건복지부장관, 시·도지사 또는 시장·군수·구청장은 이 법에서 정하는 바에 따라 구강보건사업을 시행하여야 한다.

② 특별자치시·특별자치도 또는 시·군·구(자치구를 말한다)의 보건소(보건의료원을 포함한다. 이하 같다)에는 「지역보건법」 제16조에 따라 치과의사 및 치과위생사를 둔다. 〈개정 2015.5.18.〉

③ 보건복지부장관, 시·도지사 또는 시장·군수·구청장은 구강보건사업의 시행을 위하여 필요하면 관계 기관 또는 단체에 인력, 기술 및 재정 지원을 하거나 협조를 요청할 수 있다.

[전문개정 2012.10.22.]

제8조(구강보건사업 시행 결과의 평가) ① 시장·군수·구청장은 해당 시행계획의 시행 결과를 시·도지사에게 제출하여야 한다. 〈개정 2015.5.18.〉

② 시·도지사는 제1항에 따라 받은 시행 결과를 평가하고, 그 평가 결과와 해당 세부계획의 시행 결과를 보건복지부장관에게 제출하여야 한다.

③ 보건복지부장관은 제2항에 따라 받은 세부계획과 시행계획의 평가 및 시행 결과를 평가하여야 한다.〈개정 2015.5.18.〉

④ 제2항 및 제3항에 따른 평가의 방법·절차, 그 밖에 필요한 사항은 보건복지부령으로 정한다. 〈개정

2015.5.18.〉

[전문개정 2012.10.22.]

제9조(구강건강실태조사) ① 보건복지부장관은 국민의 구강건강상태와 구강건강의식 등 구강건강실태를 정기적으로 조사하여야 한다.

② 제1항에 따른 조사의 시기·방법과 그 밖에 필요한 사항은 대통령령으로 정한다.

[전문개정 2012.10.22.]

제3장 수돗물불소농도조정사업 〈개정 2012.10.22.〉

제10조(수돗물불소농도조정사업의 계획 및 시행) ① 수돗물불소농도조정사업을 시행하려는 시·도지사, 시장·군수·구청장 또는 「한국수자원공사법」에 따른 한국수자원공사(이하 "한국수자원공사"라 한다) 사장은 다음 각 호의 사항이 포함된 사업계획을 수립하여야 한다.

1. 정수시설 및 급수 인구 현황
2. 사업 담당 인력 및 예산
3. 사용하려는 불소제제(弗素製劑) 및 불소화합물 첨가시설
4. 유지하려는 수돗물 불소농도
5. 그 밖에 보건복지부령으로 정하는 사항

② 시·도지사, 시장·군수·구청장 또는 한국수자원공사 사장은 공청회나 여론조사 등을 통하여 관계 지역주민의 의견을 적극 수렴하고 그 결과에 따라 수돗물불소농도조정사업을 시행 또는 중단할 수 있다. 〈개정 2015.5.18.〉

③ 보건복지부장관은 제1항에 따른 사업계획의 수립·시행에 필요한 기술적·재정적 지원을 할 수 있다.

④ 제1항제3호 및 제4호의 세부 사항은 보건복지부령으로 정한다.

[전문개정 2012.10.22.]

제11조(수돗물불소농도조정사업의 관리) ① 수돗물불소농도조정사업을 시행하는 시·도지사, 시장·군수·구청장 및 한국수자원공사 사장(이하 "사업관리자"라 한다)은 다음 각 호의 사항을 관장(管掌)한다.

1. 불소화합물 첨가시설의 설치 및 운영
2. 불소농도 유지를 위한 지도·감독
3. 불소화합물 첨가 인력의 안전관리
4. 불소제제의 보관 및 관리에 관한 지도·감독
② 사업관리자는 수돗물불소농도조정사업과 관련된 업무 중 보건복지부령으로 정하는 업무를 「수도법」 제3조제19호에 따른 일반수도사업을 하는 사업소의 장 또는 보건소장으로 하여금 수행하게 할 수 있다.
[전문개정 2012.10.22.]

제4장 학교 구강보건사업 〈개정 2012.10.22.〉

제12조(학교 구강보건사업) ① 「유아교육법」 제2조제2호에 따른 유치원 및 「초·중등교육법」 제2조에 따른 학교(이하 "학교"라 한다)의 장은 다음 각 호의 사업을 하여야 한다. 〈개정 2015.5.18.〉
1. 구강보건교육
2. 구강검진
3. 칫솔질과 치실질 등 구강위생관리 지도 및 실천
4. 불소용액 양치와 치과의사 또는 치과의사의 지도에 따른 치과위생사의 불소 도포
5. 지속적인 구강건강관리
6. 그 밖에 학생의 구강건강 증진에 필요하다고 인정되는 사항
② 학교의 장은 학교 구강보건사업의 원활한 추진을 위하여 그 학교가 있는 지역을 관할하는 보건소에 필요한 인력 및 기술의 협조를 요청할 수 있다.
③ 제1항에 따른 사업의 세부 내용 및 방법 등에 관하여는 대통령령으로 정한다.
[전문개정 2012.10.22.]

제13조(학교 구강보건시설) ① 학교의 장은 학교 구강보건사업을 시행하기 위하여 보건복지부령으로 정하는 구강보건시설을 설치할 수 있다. 〈개정 2015.5.18.〉
② 국가와 지방자치단체는 제1항에 따른 구강보건시설을 설치하려는 학교의 장에게 필요한 비용의 전부 또는 일부를 지원할 수 있다.
[전문개정 2012.10.22.]

제5장 사업장 구강보건사업 등 〈개정 2012.10.22.〉

제14조(사업장 구강보건사업) 「산업안전보건법」에 따라 사업장의 사업주가 보건교육과 건강진단을 실시할 때에는 대통령령으로 정하는 바에 따라 구강보건교육과 구강검진을 함께 실시하여야 한다. 〈개정 2015.5.18.〉
[전문개정 2012.10.22.]

제15조(노인·장애인 구강보건사업 등) ① 국가와 지방자치단체는 「노인복지법」 제27조제1항에 따라 실시하는 건강진단과 보건교육에 구강검진과 구강보건교육을 포함하여야 한다. 〈개정 2015.5.18.〉
② 국가와 지방자치단체는 「노인복지법」에 따른 노인복지시설 및 「장애인복지법」에 따른 장애인복지시설을 이용하거나 입소하여 생활하는 노인 및 장애인 또는 재가(在家) 노인 및 장애인을 대상으로 구강보건사업을 실시하여야 한다. 〈개정 2015.5.18.〉
③ 국가와 지방자치단체는 홀로 사는 노인의 구강건강을 위하여 노력하여야 한다. 〈신설 2015.5.18.〉
[전문개정 2012.10.22.]

제15조의2(장애인구강진료센터의 설치 등) ① 보건복지부장관은 장애인의 구강보건 및 구강건강증진에 관한 다음 각 호의 업무를 수행하기 위하여 중앙장애인구강진료센터를 설치·운영하여야 한다.
1. 권역장애인구강진료센터 및 지역장애인구강진료센터의 진료지침 및 방향설정
2. 권역장애인구강진료센터 및 지역장애인구강진료센터와의 정보의 공유 및 협력
3. 장애인 구강환자의 진료
② 시·도지사는 장애인의 구강진료 등 구강보건 및 구강건강증진을 효율적으로 추진하기 위하여 권역장애인구강진료센터 및 지역장애인구강진료센터를 설치·운영할 수 있다.
③ 보건복지부장관과 시·도지사는 제1항 및 제2항에 따른 중앙장애인구강진료센터, 권역장애인구강진료센터 및 지역장애인구강진료센터의 설치·운영을 업무에 필요한 전문인력과 시설을 갖춘 기관에 위탁할

수 있다.

④ 보건복지부장관과 시·도지사는 제1항 및 제2항에 따른 중앙장애인구강진료센터, 권역장애인구강진료센터 및 지역장애인구강진료센터를 위탁·운영하는 자에게 위탁·운영에 필요한 경비의 전부 또는 일부를 보조할 수 있다.

⑤ 제1항 및 제2항에 따른 중앙장애인구강진료센터, 권역장애인구강진료센터 및 지역장애인구강진료센터의 설치·운영 및 제3항에 따른 위탁 등에 필요한 사항은 보건복지부령으로 정한다.

[본조신설 2015.5.18.]

제15조의3(장애인구강진료센터에 관한 정보 제공) 국가와 지방자치단체는 장애인이 장애인구강진료센터의 구강 진료를 쉽게 이용할 수 있도록 장애인에게 장애인구강진료센터에 관한 정보를 제공하여야 한다.

[본조신설 2015.5.18.]

제16조(모자·영유아 구강보건사업) ① 특별자치시장·특별자치도지사 또는 시장·군수·구청장은 「모자보건법」 제9조에 따라 모자보건수첩을 발급받은 임산부와 영유아를 대상으로 구강보건교육과 구강검진을 실시하고, 그 결과를 모자보건수첩에 기록·관리하여야 한다. 〈개정 2015.5.18.〉

② 「영유아보육법」 제31조에 따라 실시하는 영유아의 건강진단에는 구강검진을 포함하여야 한다. 〈신설 2015.5.18.〉

③ 제1항 및 제2항에 따른 구강보건교육과 구강검진 등에 필요한 사항은 보건복지부령으로 정한다. 〈개정 2015.5.18.〉

[전문개정 2012.10.22.]

[제목개정 2015.5.18.]

제17조 삭제 〈2015.5.18.〉

제17조의2(보건소의 구강보건시설 설치·운영) 특별자치시·특별자치도 또는 시·군·구(자치구를 말한다)의 보건소에는 구강질환 예방 및 진료를 위하여 보건복지부령으로 정하는 바에 따라 구강보건실 또는 구강보건센터를 설치·운영하여야 한다.

[본조신설 2015.5.18.]

제6장 보칙 〈개정 2012.10.22.〉

제18조(구강관리용품의 관리 등) ① 보건복지부장관은 국민의 구강건강 증진을 위하여 구강관리용품을 관리하여야 한다. 〈개정 2015.5.18.〉

② 보건복지부장관은 구강관리용품 생산을 위한 연구·개발을 하는 기관, 단체 등에 재정적 지원을 할 수 있다. 〈개정 2015.5.18.〉

[전문개정 2012.10.22.]

[제목개정 2015.5.18.]

제18조의2(구강보건산업 진흥) 보건복지부장관은 구강보건을 위하여 불소를 포함하는 제품 등이 활성화될 수 있도록 지원을 할 수 있다.

[본조신설 2015.5.18.]

제19조(대한구강보건협회) ① 구강보건교육 및 홍보 등의 업무를 수행하기 위하여 대한구강보건협회(이하 "협회"라 한다)를 둔다.

② 협회의 회원이 될 수 있는 사람은 협회의 설립 취지와 그 사업에 찬성하는 사람으로 한다.

③ 협회는 법인으로 한다.

④ 협회에 관하여 이 법에서 규정된 사항을 제외하고는 「민법」 중 사단법인에 관한 규정을 준용한다.

[전문개정 2012.10.22.]

제20조(구강보건연구기관의 설치) 국가는 국민의 구강건강 증진을 위하여 구강보건에 관한 연구·조사를 하는 전문 연구기관을 설치 또는 지정·운영하여야 한다. 〈개정 2015.5.18.〉

[전문개정 2012.10.22.]

제21조(교육훈련) ① 보건복지부장관은 구강보건사업과 관련되는 인력의 역량강화를 위하여 교육훈련을 실시할 수 있다. 〈개정 2015.5.18.〉

② 보건복지부장관은 구강보건사업과 관련되는 인력의 교육훈련에 필요한 교육프로그램 및 업무지침을 마련하여 보급하여야 한다. 〈신설 2015.5.18.〉

③ 보건복지부장관은 제1항에 따른 교육훈련을 전문

관계 기관에 위탁할 수 있다. 〈개정 2015.5.18.〉

④ 제1항 및 제3항에 따른 교육훈련과 위탁에 필요한 사항은 보건복지부령으로 정한다. 〈개정 2015.5.18.〉

[전문개정 2012.10.22.]

제22조(권한의 위임·위탁) ① 이 법에 따른 보건복지부장관의 권한은 대통령령으로 정하는 바에 따라 그 일부를 시·도지사 또는 시장·군수·구청장에게 위임할 수 있다.

② 보건복지부장관은 이 법에 따른 업무의 일부를 대통령령으로 정하는 바에 따라 구강보건사업을 하는 관련 기관 또는 단체에 위탁할 수 있다.

③ 시·도지사 또는 시장·군수·구청장은 제1항에 따라 보건복지부장관으로부터 위임받은 사무의 일부를 대통령령으로 정하는 바에 따라 구강보건사업을 하는 관련 기관 또는 단체에 위탁할 수 있다.

④ 보건복지부장관, 시·도지사 또는 시장·군수·구청장은 제2항 또는 제3항에 따라 업무를 위탁하였을 때에는 수탁 기관 또는 단체에 그 비용의 전부 또는 일부를 보조할 수 있다. 〈개정 2015.5.18.〉

[전문개정 2012.10.22.]

부칙 〈제6163호, 2000.1.12.〉

이 법은 2000년 9월 1일부터 시행한다.

부칙 〈제6953호, 2003.7.29.〉

①(시행일) 이 법은 2004년 3월 1일부터 시행한다.

②(다른 법률의 개정) 국민건강증진법중 다음과 같이 개정한다.

제18조제1항제2호를 다음과 같이 한다.

2. 수돗물불소농도조정사업

부칙 〈제7120호, 2004.1.29.〉 (유아교육법)

제1조 (시행일) 이 법은 공포후 1년이 경과한 날부터 시행한다.

제2조 내지 제7조 생략

제8조 (다른 법률의 개정) ①내지 ③생략

④구강보건법중 다음과 같이 개정한다.

제12조제1항 각호외의 부분중 "초·중등교육법 제2조"를 "유아교육법 제2조제2호의 규정에 의한 유치원 및 초·중등교육법 제2조"로 한다.

제17조를 다음과 같이 한다.

제17조 (영유아의 구강건강진단) 영유아보육법에 의한 보육시설의 장이 영유아에 대하여 건강진단을 할 때에는 구강진단을 함께 실시하여야 한다.

⑤내지 ⑪생략

제9조 생략

부칙 〈제8852호, 2008.2.29.〉 (정부조직법)

제1조 (시행일) 이 법은 공포한 날부터 시행한다. 다만, ···〈생략〉···, 부칙 제6조에 따라 개정되는 법률 중 이 법의 시행 전에 공포되었으나 시행일이 도래하지 아니한 법률을 개정한 부분은 각각 해당 법률의 시행일부터 시행한다.

제2조부터 제5조까지 생략

제6조 (다른 법률의 개정) ① 부터 〈445〉 까지 생략

〈446〉 구강보건법 일부를 다음과 같이 개정한다.

제2조제3호, 제5조제1항 전단, 제7조제1항 및 제3항, 제8조제2항 및 제3항, 제9조제1항, 제10조제3항, 제18조제1항 및 제2항, 제21조제1항 및 제2항, 제22조제1항부터 제3항까지 중 "보건복지부장관"을 각각 "보건복지가족부장관"으로 한다.

제5조제2항, 제8조제4항, 제10조제1항제5호 및 제4항, 제11조제2항, 제13조제1항, 제16조제2항 및 제21조제3항 중 "보건복지부령"을 각각 "보건복지가족부령"으로 한다.

〈447〉 부터 〈760〉 까지 생략

제7조 생략

부칙 〈제9932호, 2010.1.18.〉 (정부조직법)

제1조(시행일) 이 법은 공포 후 2개월이 경과한 날부터 시행한다. 〈단서 생략〉

제2조 및 제3조 생략

제4조(다른 법률의 개정) ① 부터 ⑳ 까지 생략

　⑳ 구강보건법 일부를 다음과 같이 개정한다.

　제2조제3호, 제5조제1항 전단, 제7조제1항·제3항, 제8조제2항·제3항, 제9조제1항, 제10조제3항, 제18조제1항·제2항, 제21조제1항·제2항 및 제22조제1항부터 제3항까지 중 "보건복지가족부장관"을 각각 "보건복지부장관"으로 한다.

　제5조제2항, 제8조제4항, 제10조제1항제5호·제4항, 제11조제2항, 제13조제1항, 제16조제2항 및 제21조제3항 중 "보건복지가족부령"을 각각 "보건복지부령"으로 한다.

　⑳ 부터 〈137〉 까지 생략

제5조 생략

부칙 〈제10789호, 2011.6.7.〉 (영유아보육법)

제1조(시행일) 이 법은 공포 후 6개월이 경과한 날부터 시행한다. 〈단서 생략〉

제2조부터 제5조까지 생략

제6조(다른 법률의 개정) ①부터 ⑤까지 생략

　⑥ 구강보건법 일부를 다음과 같이 개정한다.

　제17조 중 "보육시설의 장"을 "어린이집의 원장"으로 한다.

　⑦부터 ㉜까지 생략

부칙 〈제11510호, 2012.10.22.〉

이 법은 공포한 날부터 시행한다.

부칙 〈제13319호, 2015.5.18.〉

이 법은 공포 후 6개월이 경과한 날부터 시행한다.

부칙 〈제14317호, 2016.12.2.〉

이 법은 공포한 날부터 시행한다.

2) 구강보건법 시행령

[시행 2015.11.19.] [대통령령 제26605호, 2015.10.29., 일부개정]

제1조(목적) 이 영은 「구강보건법」에서 위임된 사항과 그 시행에 필요한 사항을 규정함을 목적으로 한다. 〈개정 2015.10.29.〉

제2조(구강보건사업기본계획의 내용) ① 「구강보건법」(이하 "법"이라 한다) 제5조제2항제8호에서 "그 밖에 구강보건사업과 관련하여 대통령령으로 정하는 사업"이란 다음 각 호의 사업을 말한다.

1. 구강보건 관련 인력의 양성 및 수급에 관한 사업

2. 구강보건에 관한 홍보사업

3. 구강보건사업에 관한 평가사업

4. 그 밖에 구강보건에 관한 국제협력 등 보건복지부장관이 필요하다고 인정하는 사업

② 법 제5조제3항 단서에서 "대통령령으로 정하는 경미한 사항을 변경하는 경우"란 다음 각 호의 어느 하나에 해당하는 사업의 내용을 변경하는 경우를 말한다.

1. 법 제5조제2항제7호에 따른 구강보건 관련 인력의 역량강화에 관한 사업

2. 제1항 각 호의 어느 하나에 해당하는 사업

[전문개정 2015.10.29.]

제3조(구강보건사업의 시행) 보건복지부장관, 특별시장·광역시장·특별자치시장·도지사·특별자치도지사(이하 "시·도지사"라 한다) 또는 시장·군수·구청장(자치구의 구청장을 말한다. 이하 같다)은 법 제7조제1항에 따른 구강보건사업의 시행에 필요한 인력 및 재정의 확보에 노력하여야 한다. 〈개정 2008.2.29., 2010.3.15., 2015.10.29.〉

제4조(구강건강실태조사 등의 시기 및 방법) ①법 제9조에 따른 국민구강건강실태조사는 구강건강상태조사 및 구강건강의식조사로 구분하여 실시하되, 3년마다 정기적으로 실시하여야 한다. 〈개정 2015.10.29.〉

②제1항에 따른 구강건강상태조사에는 다음 각 호

의 사항을 포함하여야 한다. 〈개정 2015.10.29.〉

1. 치아건강상태

2. 치주조직건강상태

3. 의치보철상태

4. 그 밖에 치아반점도 등 구강건강상태에 관한 사항

③제1항에 따른 구강건강의식조사에는 다음 각 호의 사항을 포함하여야 한다. 〈개정 2015.10.29.〉

1. 구강보건에 대한 지식

2. 구강보건에 대한 태도

3. 구강보건에 대한 행동

4. 그 밖에 구강보건의식에 관한 사항

④제1항에 따른 구강건강상태조사 및 구강건강의식조사는 표본조사로 실시하되, 구강건강상태조사는 직접 구강검사를 통하여 실시하고, 구강건강의식조사는 면접설문조사를 통하여 실시한다. 〈개정 2015.10.29.〉

⑤구강건강실태조사에 관하여 이 영에 규정된 것외에 필요한 사항은 보건복지부장관이 따로 정한다. 〈개정 2008.2.29., 2010.3.15.〉

제5조(수돗물불소농도조정사업계획 내용의 공고) 법 제10조에 따라 수돗물불소농도조정사업을 시행 또는 중단하려는 시·도지사, 시장·군수·구청장 또는 한국수자원공사사장은 수돗물불소농도조정사업계획에 관한 다음 각 호의 사항을 해당 지역주민에게 3주 이상 공보와 해당 지역을 주된 보급지역으로 하는 일간신문에 공고하여야 하고, 그 밖에 필요한 경우에는 인터넷 홈페이지, 방송 등 효과적인 방법으로 공고할 수 있다. 〈개정 2004.2.28., 2015.10.29.〉

1. 수돗물불소농도조정사업의 시행 목적 또는 중단 사유

2. 수돗물불소농도조정사업의 필요성

3. 수돗물불소농도조정사업의 시행 대상정수장 및 사업대상지역

3의2. 수돗물불소농도조정사업의 중단 대상정수장 및 사업대상지역

4. 그 밖에 주민들의 의견수렴에 필요하다고 인정되

는 사항

[제목개정 2004.2.28.]

제6조(수돗물불소농도조정사업 지원관련 사업계획의 제출) 법 제10조제3항에 따라 수돗물불소농도조정사업계획의 수립·시행에 필요한 기술적·재정적 지원을 받으려는 시·도지사, 시장·군수·구청장 또는 한국수자원공사사장은 보건복지부장관에게 수돗물불소농도조정사업계획을 제출하여야 한다. 이 경우 시장·군수·구청장은 시·도지사를 거쳐 제출하여야 한다. 〈개정 2004.2.28., 2008.2.29., 2010.3.15., 2015.10.29.〉

[제목개정 2004.2.28.]

제7조(수돗물불소농도조정사업계획의 조정) 제6조에 따라 수돗물불소농도조정사업계획을 제출받은 보건복지부장관은 이를 검토하여 수돗물불소농도조정사업계획의 조정이 필요하다고 판단되는 경우에는 해당 시·도지사, 시장·군수·구청장 또는 한국수자원공사사장에게 그 검토 결과를 통보할 수 있다. 〈개정 2004.2.28., 2008.2.29., 2010.3.15., 2015.10.29.〉

[제목개정 2004.2.28.]

제8조(수돗물불소농도조정사업기술지원단) ①보건복지부장관은 수돗물불소농도조정사업을 시행하는 시·도지사, 시장·군수·구청장 또는 한국수자원공사사장에 대하여 기술지원을 하기 위하여 보건복지부에 수돗물불소농도조정사업기술지원단을 둔다. 〈개정 2004.2.28., 2008.2.29., 2010.3.15.〉

②제1항의 규정에 의한 수돗물불소농도조정사업기술지원단의 구성·운영 및 기술지원사항 등에 관하여 필요한 사항은 보건복지부령으로 정한다. 〈개정 2004.2.28., 2008.2.29., 2010.3.15.〉

[제목개정 2004.2.28.]

제9조(학교 구강보건교육) ① 「유아교육법」 제2조제2호에 따른 유치원 및 「초·중등교육법」 제2조에 따른 학교(이하 "학교"라 한다)의 장은 법 제12조제1항제1호에 따른 구강보건교육을 실시하는 경우에는 치아

우식병(齒齒牙齲蝕症) 예방 등 구강보건에 관한 사항을 포함하여야 한다. 〈개정 2015.10.29.〉

②보건복지부장관은 제1항의 규정에 의하여 실시하는 학교구강보건교육에 필요한 자료 등을 교육부장관에게 제공할 수 있다. 〈개정 2008.2.29., 2010.3.15., 2013.3.23.〉

[제목개정 2015.10.29.]

제10조(학교 구강검진) 학교의 장이 학생에 대하여 「학교보건법」 제7조에 따른 건강검사를 실시한 경우에는 법 제12조제1항제2호에 따른 구강검진을 실시한 것으로 본다.

[전문개정 2015.10.29.]

제11조(불소용액의 농도 등) 법 제12조제1항제4호에 따른 불소용액 양치 사업에 필요한 불소용액의 농도 및 불소 도포 사업에 필요한 불소 도포의 횟수 등은 보건복지부령으로 정한다.

[전문개정 2015.10.29.]

제12조(지속적인 구강건강관리) 학교의 장은 학생에 대하여 법 제12조제1항제5호에 따른 지속적인 구강건강관리를 실시하는 경우에는 구강질환예방 및 조기치료 등에 관한 사항을 포함하여야 한다. 〈개정 2015.10.29.〉

[제목개정 2015.10.29.]

제13조(사업장 구강보건교육 내용) 법 제14조에 따라 사업장의 사업주가 해당 사업장의 근로자에 대하여 실시하는 구강보건교육에는 다음 각 호의 사항을 포함하여야 한다. 다만, 제2호부터 제5호까지의 사항은 직업성 치과질환의 발생위험이 있다고 인정하여 보건복지부령이 정하는 근로자에 대한 구강보건교육의 경우에 한정한다. 〈개정 2008.2.29., 2010.3.15., 2015.10.29.〉

1. 구강보건에 관한 사항
2. 직업성 치과질환의 종류에 관한 사항
3. 직업성 치과질환의 위험요인에 관한 사항
4. 직업성 치과질환의 발생·증상 및 치료에 관한 사항
5. 직업성 치과질환의 예방 및 관리에 관한 사항

6. 그 밖에 구강보건증진에 관한 사항

[제목개정 2015.10.29.]

제14조(사업장 구강검진) ① 사업장의 사업주가 「산업안전보건법」 제43조에 따른 건강진단을 실시한 경우에는 법 제14조에 따른 구강검진을 실시한 것으로 본다. 〈개정 2015.10.29.〉

②사업장의 사업주는 치아부식증 등 구강질환 발생 위험이 있는 업무에 종사하는 근로자의 구강보건관리를 위하여 필요한 경우에는 산업구강보건에 관한 학식이 풍부한 치과의사를 위촉할 수 있다.

[제목개정 2015.10.29.]

제15조(노인 구강보건사업의 범위) ① 법 제15조제2항에 따라 국가와 지방자치단체가 실시하는 노인 구강보건사업의 범위는 다음 각 호와 같다.

1. 노인 구강보건교육사업
2. 노인 구강검진사업
3. 그 밖에 노인의 구강건강증진에 필요하다고 인정되는 사업

② 제1항에 따른 노인 구강보건교육사업 및 노인 구강검진사업의 내용은 별표 1과 같다.

[전문개정 2015.10.29.]

제16조(장애인 구강보건사업의 범위) ① 법 제15조제2항에 따라 국가와 지방자치단체가 실시하는 장애인 구강보건사업의 범위는 다음 각 호와 같다.

1. 장애인 구강보건교육사업
2. 장애인 구강검진사업
3. 그 밖에 장애인의 구강건강증진에 필요하다고 인정되는 사업

② 제1항에 따른 장애인 구강보건교육사업 및 장애인 구강검진사업의 내용은 별표 1과 같다.

[전문개정 2015.10.29.]

제17조(협회의 업무) 법 제19조제1항에 따른 대한구강보건협회(이하 "협회"라 한다)의 업무는 다음 각 호와 같다. 〈개정 2015.10.29.〉

1. 구강질환 예방대책 및 조사에 관한 사항
2. 구강건강에 대한 교육 및 홍보에 관한 사항

3. 치아건강식품섭취의 교육 및 홍보에 관한 사항

4. 그 밖에 구강보건증진을 위하여 필요하다고 인정되는 사항

제18조(협조) 보건복지부장관은 협회에 구강보건사업의 수행에 필요한 사항에 관하여 협조를 요청할 수 있다. 〈개정 2008.2.29., 2010.3.15.〉

부칙 〈제16982호, 2000.10.18.〉

①(시행일) 이 영은 공포한 날부터 시행한다.

②(국민구강건강실태조사에 관한 경과조치) 이 영 시행후 최초로 실시하는 제4조제1항의 규정에 의한 국민구강건강실태조사의 실시기간은 2001년 4월 30일까지로 한다.

부칙 〈제18300호, 2004.2.28.〉

①(시행일) 이 영은 2004년 3월 1일부터 시행한다.

②(다른 법령의 개정) 보건복지부와그소속기관직제 중 다음과 같이 개정한다.

제13조제2항제35호중 "수돗물불소화사업"을 "수돗물불소농도조정사업"으로 한다.

부칙 〈제20679호, 2008.2.29.〉 (보건복지가족부와 그 소속기관 직제)

제1조(시행일) 이 영은 공포한 날부터 시행한다.

제2조부터 제8조까지 생략

제9조(다른 법령의 개정) ① 부터 ⑧ 까지 생략

⑨ 구강보건법시행령 일부를 다음과 같이 개정한다.
제2조제4호, 제3조, 제4조제5항, 제6조 전단, 제7조, 제8조제1항, 제9조제2항 및 제18조 중 "보건복지부장관"을 각각 "보건복지가족부장관"으로 한다.
제8조제1항 중 "보건복지부"를 "보건복지가족부"로 한다.
제8조제2항, 제11조 및 제13조 각 호 외의 부분 단서 중 "보건복지부령"을 "보건복지가족부령"으로 한다.
제9조제2항 중 "교육부장관"을 "교육과학기술부장관"으로 한다.

⑩ 부터 〈80〉 까지 생략

부칙 〈제22075호, 2010.3.15.〉 (보건복지부와 그 소속기관 직제)

제1조(시행일) 이 영은 2010년 3월 19일부터 시행한다. 〈단서 생략〉

제2조(다른 법령의 개정) ① 부터 ⑳ 까지 생략

㉑ 구강보건법시행령 일부를 다음과 같이 개정한다.
제2조제4호, 제3조, 제4조제5항, 제6조 전단, 제7조, 제8조제1항, 제9조제2항 및 제18조 중 "보건복지가족부장관"을 각각 "보건복지부장관"으로 한다.
제8조제1항 중 "보건복지가족부"를 "보건복지부"로 한다.
제8조제2항, 제11조 및 제13조 각 호 외의 부분 단서 중 "보건복지가족부령"을 각각 "보건복지부령"으로 한다.

㉒ 부터 〈187〉 까지 생략

부칙 〈제24454호, 2013.3.23.〉 (보건복지부와 그 소속기관 직제)

제1조(시행일) 이 영은 공포한 날부터 시행한다. 〈단서 생략〉

제2조 및 제3조 생략

제4조(다른 법령의 개정) ①부터 ③까지 생략

④ 구강보건법시행령 일부를 다음과 같이 개정한다.
제9조제2항 중 "교육과학기술부장관"을 "교육부장관"으로 한다.

⑤부터 ㊴까지 생략

부칙 〈제26605호, 2015.10.29.〉

이 영은 2015년 11월 19일부터 시행한다.

3) 구강보건법 시행규칙

[시행 2015.11.19.] [보건복지부령 제367호, 2015.11.19., 일부개정]

제1조(목적) 이 규칙은 「구강보건법」 및 같은 법 시행령에서 위임된 사항과 그 시행에 필요한 사항을 규정함을 목적으로 한다. 〈개정 2015.11.19.〉

제2조(구강보건사업계획 등의 통보) ①보건복지부장관은 「구강보건법」(이하 "법"이라 한다) 제5조제1항에 따라 구강보건사업기본계획을 수립한 경우에는 그 계획이 실시되는 연도의 전년도 9월 30일까지 특별시장·광역시장·특별자치시장·도지사·특별자치도지사(이하 "시·도지사"라 한다)에게 통보하여야 한다. 〈개정 2008.3.3., 2010.3.19., 2015.11.19.〉

②시·도지사는 법 제6조제1항에 따라 특별시·광역시·특별자치시·도·특별자치도(이하 "시·도"라 한다)의 구강보건사업세부계획을 수립한 후 이를 그 계획이 실시되는 연도의 전년도 10월 31일까지 시장·군수·구청장(자치구의 구청장을 말한다. 이하 같다)에게 통보하여야 한다. 〈개정 2015.11.19.〉

③시장·군수·구청장은 법 제6조제2항에 따라 해당 시·군·구(자치구를 말한다. 이하 같다)의 구강보건사업시행계획을 수립한 후 이를 그 계획이 실시되는 연도의 전년도 11월 30일까지 관할 시·도지사에게 통보하여야 한다. 〈개정 2015.11.19.〉

④시·도지사는 구강보건사업세부계획을 제3항에 따라 통보받은 시·군·구의 구강보건사업시행계획과 함께 그 계획이 실시되는 연도의 전년도 12월 31일까지 보건복지부장관에게 통보하여야 한다. 〈개정 2008.3.3., 2010.3.19., 2015.11.19.〉

제3조(구강보건사업 시행결과의 제출 및 평가) ①시장·군수·구청장은 법 제8조제1항에 따라 구강보건사업시행계획의 시행결과를 시행이 완료되는 연도의 다음 연도 1월 31일까지 관할 시·도지사에게 제출하여야 한다. 〈개정 2015.11.19.〉

②법 제8조제2항에 따라 시·도지사는 제1항에 따라 제출된 시·군·구의 구강보건사업시행계획의 시행결과를 평가한 후 그 평가결과와 해당 시·도의 구강보건사업세부계획의 시행결과를 시행이 완료되는 연도의 다음 연도 2월 말일까지 보건복지부장관에게 제출하여야 한다. 〈개정 2008.3.3., 2010.3.19., 2015.11.19.〉

③보건복지부장관 및 시·도지사는 구강보건사업시행계획 및 구강보건사업세부계획의 시행결과를 평가할 때에는 그 계획과 추진실적에 기초하여 평가하되, 필요하다고 인정하는 경우에는 해당 계획에 의하여 변화된 다음 각 호의 사항을 조사하여 평가에 포함시킬 수 있다. 〈개정 2008.3.3., 2010.3.19., 2015.11.19.〉

1. 해당 시·도 또는 시·군·구의 주민의 구강건강에 대한 지식·태도 및 행동
2. 해당 시·도 또는 시·군·구의 주민의 구강질환의 증감 등 구강건강상태

제4조(불소제제 등) ①법 제10조제1항제3호에 따른 불소제제 및 불소화합물 첨가시설은 다음 각 호와 같다. 이 경우 불소제제의 표준규격 및 기준 등은 보건복지부장관이 정하는 바에 따른다. 〈개정 2004.2.28., 2008.3.3., 2010.3.19., 2015.11.19.〉

1. 불소제제: 불화나트륨, 불화규산 및 불화규소나트륨
2. 불소화합물 첨가시설: 정량 불소화합물 첨가기

②법 제10조제1항제4호에 따라 시·도지사, 시장·군수·구청장 또는 한국수자원공사사장이 유지하려는 수돗물불소농도는 0.8피피엠으로 하되, 그 허용범위는 최대 1.0피피엠, 최소 0.6피피엠으로 한다. 〈개정 2015.11.19.〉

제5조(수돗물불소농도조정사업계획의 내용) 법 제10조제1항제5호에서 "그 밖에 보건복지부령으로 정하는 사항"이란 다음 각 호의 사항을 말한다. 〈개정 2004.2.28., 2010.3.19., 2010.3.19., 2015.11.19.〉

1. 수돗물불소농도조정사업 대상 국민의 안전관리에 관한 사항
2. 수돗물불소농도조정사업의 발전방안에 관한 사항

3. 수돗물불소농도조정사업계획의 평가에 관한 사항

4. 그 밖에 보건복지부장관이 수돗물불소농도조정 사업계획의 수립 및 시행에 필요하다고 인정하는 사항

제6조(지원단의 구성 및 운영 등) ①「구강보건법 시행령」(이하 "영"이라 한다) 제8조제1항에 따른 수돗물불소농도조정사업기술지원단(이하 "지원단"이라 한다)은 단장 1인을 포함한 10인 이내의 단원으로 구성되되, 단원은 다음 각 호의 어느 하나에 해당하는 사람 중에서 각각 보건복지부장관이 임명 또는 위촉하는 사람으로 한다. 〈개정 2004.2.28., 2008.3.3., 2010.3.19., 2015.11.19.〉

1. 구강보건관련 전문가

2. 관계 공무원

3. 그 밖에 보건복지부장관이 수돗물불소농도조정 사업 기술지원 및 자문에 필요하다고 인정하는 사람

②단장은 보건복지부장관이 단원 중에서 지명하는 사람이 된다. 〈개정 2008.3.3., 2010.3.19., 2015.11.19.〉

③영 제8조제2항에 따른 기술지원 사항은 다음 각 호와 같다. 〈개정 2004.2.28., 2008.3.3., 2010.3.19., 2015.11.19.〉

1. 수돗물불소농도조정사업계획의 수립 및 시행에 필요한 기술적인 지원

2. 불소화합물 첨가기 설치 지원

3. 불소농도의 적정 유지에 대한 기술적인 지원 및 지도

4. 불소화합물 첨가시설의 유지·관리에 대한 기술적인 지원 및 지도

5. 수돗물불소농도조정사업의 평가지원

6. 그 밖에 보건복지부장관이 필요하다고 인정하는 사항

④지원단의 단원에게는 예산의 범위안에서 수당과 여비를 지급할 수 있다. 다만, 공무원인 단원이 그 소관업무와 직접 관련하여 기술지원업무를 하는 경우에는 그러하지 아니하다.

⑤지원단의 운영에 관하여 이 규칙에서 규정한 사항 외에 필요한 사항은 보건복지부장관이 정하는 바에 따른다. 〈개정 2008.3.3., 2010.3.19., 2015.11.19.〉

제7조(상수도사업소장의 업무 등) ①법 제11조제2항에 따라 시·도지사, 시장·군수·구청장 및 한국수자원공사사장(이하 "사업관리자"라 한다)이 수돗물불소농도조정사업과 관련된 업무 중 상수도사업소장(한국수자원공사의 경우에는 상수도시설의 운영자를 말한다. 이하 같다)으로 하여금 수행하게 할 수 있는 업무는 다음 각 호와 같다. 〈개정 2004.2.28., 2008.3.3., 2010.3.19., 2015.11.19.〉

1. 불소화합물 첨가

2. 불소농도 유지

3. 불소농도 측정 및 기록

4. 불소화합물 첨가시설의 운영·유지관리

5. 불소화합물 첨가 담당자의 안전관리

6. 불소제제의 보관 및 관리

7. 그 밖에 보건복지부장관이 불소화합물 첨가의 적정화와 안정성 확보를 위하여 필요하다고 인정하는 사항

②상수도사업소장은 제1항제3호에 따른 업무를 수행하는 경우에는 1일 1회 이상 정수장에서 불소농도를 측정하고 그 결과를 별지 제1호서식의 불소농도 측정일지에 기록하여야 한다. 〈개정 2015.11.19.〉

③상수도사업소장은 제2항에 따른 매월의 불소농도 측정결과를 측정한 달의 다음 달 10일까지 사업관리자에게 통보하여야 하며, 사업관리자는 통보를 받은 날부터 5일 이내에 보건복지부장관에게 통보하여야 한다. 〈개정 2008.3.3., 2010.3.19., 2015.11.19.〉

④보건복지부장관은 필요하다고 인정할 경우에는 상수도사업장의 불소화합물 첨가장치를 점검하거나 불소농도를 측정할 수 있다. 〈개정 2004.2.28., 2008.3.3., 2010.3.19., 2015.11.19.〉

제8조(불소화합물 첨가의 중지) ①사업관리자와 제7조제1항에 따라 불소화합물 첨가 업무를 하는 상수도

사업소장은 다음 각 호의 어느 하나에 해당하는 경우에는 불소화합물 첨가를 중지하여야 한다. 〈개정 2004.2.28., 2015.11.19.〉

1. 불소화합물 첨가기의 고장 그 밖의 사유로 불소농도가 제4조제2항에 따른 허용범위를 벗어난 경우

2. 급수를 중단한 경우

3. 그 밖에 불소화합물 첨가의 적정화와 안정성 확보를 위하여 필요하다고 인정하는 경우

②상수도사업소장은 제1항에 따라 불소화합물 첨가를 중지하는 경우에는 해당 사업관리자에게 중지사유 및 중지기간을 보고하여야 한다. 〈개정 2004.2.28., 2015.11.19.〉

③사업관리자는 제2항에 따른 보고를 받은 경우에는 이를 보건복지부장관에게 보고하여야 한다. 이 경우 사업관리자가 시장·군수·구청장인 경우에는 시·도지사를 거쳐 보고하여야 한다. 〈개정 2008.3.3., 2010.3.19., 2015.11.19.〉

[제목개정 2015.11.19.]

제9조(보건소장의 업무 등) ①법 제11조제2항에 따라 사업관리자가 수돗물불소농도조정사업과 관련된 업무 중 보건소장으로 하여금 수행하게 할 수 있는 업무는 다음 각 호와 같다. 〈개정 2004.2.28., 2015.11.19.〉

1. 불소농도 측정 및 기록

2. 불소화합물 첨가시설의 점검

3. 수돗물불소농도조정사업에 대한 교육 및 홍보

②보건소장은 제1항제1호의 업무를 수행하는 경우에는 주 1회 이상 수도꼭지에서 불소농도를 측정하고 그 결과를 별지 제2호서식의 불소농도 측정기록부에 기록하여야 하며, 측정불소농도가 제4조제2항에 따른 허용범위를 벗어난 경우에는 그 사실을 상수도사업소장에게 통보하여야 한다. 〈개정 2015.11.19.〉

③보건소장은 제1항제2호의 업무를 수행하는 경우에는 연 2회 이상 현장을 방문하여 불소화합물 첨가시설을 점검한 후 그 점검결과를 별지 제3호서식

의 불소화합물 첨가시설 점검기록부에 기록하여야 한다. 〈개정 2004.2.28., 2015.11.19.〉

④보건소장은 제2항 및 제3항에 따른 불소농도 측정결과와 불소화합물 첨가시설 점검결과를 측정 및 점검한 날이 속하는 달의 다음 달 10일까지 사업관리자에게 보고하여야 하며, 사업관리자는 통보받은 날부터 5일 이내에 시·도지사를 거쳐 보건복지부장관에게 통보하여야 한다. 〈개정 2004.2.28., 2008.3.3., 2010.3.19., 2015.11.19.〉

제10조(불소용액의 농도 등) ① 법 제12조제1항제4호에 따른 불소용액 양치사업에 필요한 양치횟수는 매일 1회 또는 주 1회로 한다.

② 영 제11조에 따른 불소용액 양치사업에 필요한 불소용액의 농도는 매일 1회 양치하는 경우에는 양치액의 0.05퍼센트로, 주 1회 양치하는 경우에는 양치액의 0.2퍼센트로 한다.

③ 영 제11조에 따른 불소 도포사업에 필요한 불소 도포의 횟수는 6개월에 1회로 한다.

[전문개정 2015.11.19.]

제11조(학교구강보건시설의 설치) ①법 제13조제1항에서 "보건복지부령으로 정하는 구강보건시설"이란 다음 각 호의 시설을 말한다. 〈개정 2008.3.3., 2010.3.19., 2015.11.19.〉

1. 집단칫솔질을 위한 수도시설

2. 지속적인 구강건강관리를 위한 구강보건실

3. 불소용액양치를 위한 구강보건용품 보관시설

②제1항에 따른 구강보건시설의 설치기준은 보건복지부장관이 정하는 바에 따른다. 〈개정 2008.3.3., 2010.3.19., 2015.11.19.〉

제12조(사업장구강보건교육 대상근로자) 영 제13조 각 호 외의 부분 단서에서 "보건복지부령이 정하는 근로자"란 「산업안전보건법 시행규칙」 제98조제2호에 따른 특수건강진단시 치과진찰을 요하는 근로자를 말한다.

[전문개정 2015.11.19.]

제12조의2(권역·지역장애인구강진료센터의 업무범위)

① 법 제15조의2제2항에 따른 권역장애인구강진료센터는 다음 각 호의 업무를 수행한다.

1. 장애인 구강환자의 전문 진료 및 지역장애인구강진료센터에서 의뢰한 장애인 구강환자의 진료

2. 지역장애인구강진료센터와의 정보의 공유 및 협력

② 법 제15조의2제2항에 따른 지역장애인구강진료센터는 다음 각 호의 업무를 수행한다.

1. 장애인 구강환자의 일반 진료

2. 인접지역 장애인 구강진료지원 사업

[본조신설 2015.11.19.]

제12조의3(중앙장애인구강진료센터의 설치·운영의 위탁 기준·방법 및 절차) ① 법 제15조의2제3항에 따라 보건복지부장관이 중앙장애인구강진료센터의 설치·운영을 위탁할 수 있는 기관은 「의료법」 제3조제2항제3호나목·마목에 따른 치과병원 또는 종합병원으로서 장애인 구강환자의 전문 진료 및 진료지원을 할 수 있는 시설·장비 및 인력을 갖춘 기관이어야 한다.

② 중앙장애인구강진료센터의 설치·운영을 위탁받으려는 치과병원 또는 종합병원은 별지 제4호서식의 중앙장애인구강진료센터 위탁기관 지정신청서(전자문서를 포함한다)에 다음 각 호의 서류(전자문서를 포함한다)를 첨부하여 보건복지부장관에게 신청하여야 한다.

1. 의료기관의 시설·장비 및 인력 등의 명세

2. 중앙장애인구강진료센터 운영계획서

③ 보건복지부장관은 제2항에 따른 지정신청서를 제출받은 경우에는 민간위원을 포함한 5명 이상의 평가위원단의 심사를 거쳐 위탁기관을 지정하고, 별지 제5호서식의 중앙장애인구강진료센터 위탁기관 지정서를 발급하여야 한다.

④ 보건복지부장관은 제3항에 따른 평가위원단을 구성하는 경우에 이해관계인을 평가위원에서 제외하는 등 장애인구강진료센터 지정의 객관성과 공정성을 유지하여야 한다.

⑤ 제1항부터 제4항까지에서 규정한 사항 외에 위탁

기관 지정 시 평가기준 및 평가절차 등에 관하여 필요한 사항은 보건복지부장관이 정한다.

[본조신설 2015.11.19.]

제12조의4(권역·지역장애인구강진료센터의 설치·운영의 위탁 기준·방법 및 절차) ① 법 제15조의2제3항에 따라 시·도지사가 권역장애인구강진료센터의 설치·운영을 위탁할 수 있는 기관은 「의료법」 제3조제2항제3호나목·마목에 따른 치과병원 또는 종합병원으로서 장애인 구강환자의 전문 진료 및 진료지원을 할 수 있는 시설·장비 및 인력을 갖춘 기관이어야 한다.

② 법 제15조의2제3항에 따라 시·도지사가 지역장애인구강진료센터의 설치·운영을 위탁할 수 있는 기관은 「지역보건법」 제10조에 따라 설치된 보건소(보건의료원을 포함한다)로서, 장애인 구강환자의 일반 진료를 할 수 있는 시설·장비 및 인력을 갖춘 기관이어야 한다.

③ 권역장애인구강진료센터 또는 지역장애인구강진료센터의 설치·운영을 위탁받으려는 치과병원, 종합병원 또는 보건소는 별지 제4호서식의 권역장애인구강진료센터 또는 지역장애인구강진료센터 위탁기관 지정신청서(전자문서를 포함한다)에 다음 각 호의 서류(전자문서를 포함한다)를 첨부하여 시·도지사에게 제출하여야 한다.

1. 의료기관의 시설·장비 및 인력 등의 현황

2. 권역장애인구강진료센터 또는 지역장애인구강진료센터 운영계획서

④ 시·도지사는 제3항에 따른 지정신청서를 제출받은 경우에는 민간위원을 포함한 5명 이상의 평가위원단의 심사를 거쳐 위탁기관을 지정하고, 별지 제5호서식의 권역장애인구강진료센터 또는 지역장애인구강진료센터 위탁기관 지정서를 발급하여야 한다.

⑤ 시·도지사는 제4항에 따른 평가위원단을 구성할 때에는 이해관계인을 평가위원에서 제외하는 등 장애인구강진료센터 선정의 객관성과 공정성을 유지하여야 한다.

⑥ 제1항부터 제5항까지에서 규정한 사항 외에 위탁 기관 지정 시 평가기준 및 평가절차 등에 관하여 필요한 사항은 시·도지사가 정한다.

[본조신설 2015.11.19.]

제13조(모자보건수첩의 기재사항) 법 제16조제1항에 따라 특별자치시장, 특별자치도지사 및 시장·군수·구청장이 모자보건수첩에 기록하여야 하는 사항은 다음 각 호와 같다. 〈개정 2015.11.19.〉

1. 임산부의 산전 및 산후의 구강건강관리에 관한 사항

2. 임산부 또는 영유아의 정기 구강검진에 관한 사항

3. 영유아의 구강발육과 구강관리상의 주의사항

4. 구강질환 예방진료에 관한 사항

5. 그 밖에 임산부 및 영유아의 구강건강관리에 필요한 사항

제14조(임산부·영유아 구강보건교육) 특별자치시장, 특별자치도지사 및 시장·군수·구청장은 법 제16조제1항에 따라 임산부 및 영유아에 대하여 다음 각 호의 사항이 포함된 구강보건교육계획을 수립하여 매년 실시하여야 한다. 〈개정 2015.11.19.〉

1. 치아우식병(충치)의 예방 및 관리

2. 치주질환(잇몸병)의 예방 및 관리

3. 그 밖의 구강질환의 예방 및 관리

제15조(임산부·영유아 구강검진 내용) 특별자치시장, 특별자치도지사 및 시장·군수·구청장은 법 제16조제1항에 따라 임산부 및 영유아에 대하여 실시하는 구강검진에는 다음 각 호의 사항이 포함되어야 한다. 〈개정 2015.11.19.〉

1. 임산부

　가. 치아우식병(충치) 상태

　나. 치주질환(잇몸병) 상태

　다. 치아마모증 상태

　라. 그 밖의 구강질환 상태

2. 영유아

　가. 치아우식병(충치) 상태

　나. 치아 및 구강발육 상태

　다. 그 밖의 구강질환 상태

[제목개정 2015.11.19.]

제16조(영유아 구강검진 내용 등) ① 법 제16조제2항에 따라 실시하는 구강검진에는 제15조제2호 각 목의 내용이 포함되어야 한다.

② 특별자치시장, 특별자치도지사 및 시장·군수·구청장은 법 제16조제2항에 따라 어린이집의 장이 영유아에 대하여 구강보건교육과 구강검진을 실시하는 경우에는 그에 필요한 인력을 지원할 수 있다.

[전문개정 2015.11.19.]

제16조의2(보건소의 구강보건실 또는 구강보건센터의 업무 등) ① 법 제17조의2에 따라 설치·운영하여야 하는 구강보건실은 다음 각 호의 업무를 수행한다.

1. 구강건강증진을 위한 교육·홍보

2. 구강질환 예방을 위한 불소 용액 양치 및 불소 도포, 치아 홈 메우기, 스케일링

3. 구강검진, 노인 틀니 사업

4. 수돗물 불소 농도 조정 사업

② 법 제17조의2에 따라 설치·운영하여야 하는 구강보건센터는 다음 각 호의 업무를 수행한다.

1. 제1항제1호부터 제4호까지의 업무

2. 지역 내 구강건강증진 관련 민간 협력체계 구축

3. 노인·장애인 및 취약계층의 구강질환 예방 및 진료

③ 구강보건센터의 시설 및 장비 기준은 별표와 같다.

[본조신설 2015.11.19.]

제17조(교육훈련 위탁대상 전문 관계 기관) 법 제21조제3항에 따라 보건복지부장관이 구강보건사업과 관련되는 인력의 자질향상을 위한 교육훈련을 위탁할 수 있는 전문 관계 기관은 다음 각 호와 같다. 〈개정 2008.3.3., 2010.3.19., 2015.11.19.〉

1. 시·도지방공무원교육원

2. 구강보건전문연구기관

3. 구강보건사업을 하는 법인 또는 단체

[제목개정 2015.11.19.]

제18조(규제의 재검토) 보건복지부장관은 제16조제1항에 따른 영유아·원아 구강검진 내용에 대하여 2015

년 1월 1일을 기준으로 2년마다(매 2년이 되는 해의 1월 1일 전까지를 말한다) 그 타당성을 검토하여 개선 등의 조치를 하여야 한다. 〈개정 2015.11.19.〉
[본조신설 2015.1.5.]

부칙 〈제181호, 2000.10.24.〉

이 규칙은 공포한 날부터 시행한다.

부칙 〈제273호, 2004.2.28.〉

제1조 (시행일) 이 규칙은 2004년 3월 1일부터 시행한다.

제2조 (다른 법령의 개정) ①국민건강증진법시행규칙중 다음과 같이 개정한다.

제18조제2항 및 동조제3항중 "불소화사업"을 각각 "불소농도조정사업"으로 한다.

②보건복지부와그소속기관직제시행규칙중 다음과 같이 개정한다.

제9조제9항제2호중 "수돗물불소화사업"을 "수돗물불소농도조정사업"으로 한다.

부칙 〈제1호, 2008.3.3.〉 (보건복지가족부와 그 소속 기관 직제 시행규칙)

제1조(시행일) 이 규칙은 공포한 날부터 시행한다.

제2조 생략

제3조(다른 법령의 개정) ① 부터 ⑨ 까지 생략

⑩ 구강보건법시행규칙 일부를 다음과 같이 개정한다. 제2조제1항 및 제4항, 제3조제2항 및 제3항 각 호 외의 부분, 제4조제1항 각 호 외의 부분 후단, 제5조제4호, 제6조제1항 각 호 외의 부분·제3호·제2항·제3항제6호 및 제5항, 제7조제1항제7호·제3항 및 제4항, 제8조제3항 전단, 제9조제4항, 제11조제2항, 제17조 각 호 외의 부분 중 "보건복지부장관"을 각각 "보건복지가족부장관"으로 한다.

제5조 각 호 외의 부분, 제11조제1항 각 호 외의 부분, 제12조 중 "보건복지부령"을 각각 "보건복지가족부령"으로 한다.

⑪ 부터 〈94〉 까지 생략

부칙 〈제1호, 2010.3.19.〉 (보건복지부와 그 소속기관 직제 시행규칙)

제1조(시행일) 이 규칙은 공포한 날부터 시행한다. 〈단서 생략〉

제2조 생략

제3조(다른 법령의 개정) ① 부터 ⑧ 까지 생략

⑨ 구강보건법시행규칙 일부를 다음과 같이 개정한다. 제2조제1항·제4항, 제3조제2항 및 제3항 각 호 외의 부분, 제4조제1항 각 호 외의 부분 후단, 제5조제4호, 제6조제1항 각 호 외의 부분 및 제3호·제2항·제3항제6호 및 제5항, 제7조제1항제7호·제3항 및 제4항, 제8조제3항 전단, 제9조제4항, 제11조제2항, 제17조 각 호 외의 부분 중 "보건복지가족부장관"을 각각 "보건복지부장관"으로 한다.

제5조 각 호 외의 부분, 제11조제1항 각 호 외의 부분 및 제12조 중 "보건복지가족부령"을 각각 "보건복지부령"으로 한다.

⑩ 부터 〈84〉 까지 생략

부칙 〈제92호, 2011.12.8.〉 (영유아보육법 시행규칙)

제1조(시행일) 이 규칙은 2011년 12월 8일부터 시행한다. 〈단서 생략〉

제2조 및 제3조 생략

제4조(다른 법령의 개정) ① 및 ② 생략

③ 구강보건법시행규칙 일부를 다음과 같이 개정한다. 제16조제1항 및 제2항 중 "보육시설"을 각각 "어린이집"으로 한다.

④부터 ⑩까지 생략

부칙 〈제283호, 2015.1.5.〉 (규제 재검토기한 설정 등 규제정비를 위한 감염병의 예방 및 관리에 관한 법률 시행규칙 등 일부개정령)

이 규칙은 공포일로부터 시행한다.

부칙 〈제367호, 2015.11.19.〉

이 규칙은 2015년 11월 19일부터 시행한다.

4. 학교보건법

1) 학교보건법

[시행 2017.2.4.] [법률 제13946호, 2016.2.3., 일부개정]

제1조(목적) 이 법은 학교의 보건관리에 필요한 사항을 규정하여 학생과 교직원의 건강을 보호·증진함을 목적으로 한다. 〈개정 2016.2.3.〉

[전문개정 2007.12.14.]

제2조(정의) 이 법에서 사용하는 용어의 뜻은 다음과 같다. 〈개정 2008.3.21., 2012.1.26., 2012.3.21.〉

1. "건강검사"란 신체의 발달상황 및 능력, 정신건강 상태, 생활습관, 질병의 유무 등에 대하여 조사하거나 검사하는 것을 말한다.

2. "학교"란 「유아교육법」 제2조제2호, 「초·중등교육법」 제2조 및 「고등교육법」 제2조에 따른 각 학교를 말한다.

3. 삭제 〈2016.2.3.〉

[전문개정 2007.12.14.]

제2조의2(국가와 지방자치단체의 의무) 국가와 지방자치단체는 학생과 교직원의 건강을 보호·증진하기 위한 기본계획을 수립·시행하고, 이에 필요한 시책을 마련하여야 한다.

[전문개정 2007.12.14.]

제3조(보건시설) 학교의 설립자·경영자는 대통령령으로 정하는 바에 따라 보건실을 설치하고 학교보건에 필요한 시설과 기구(器具)를 갖추어야 한다.

[전문개정 2007.12.14.]

제4조(학교의 환경위생 및 식품위생) ① 학교의 장은 교육부령으로 정하는 바에 따라 교사(校舍) 안에서의 환기·채광·조명·온도·습도의 조절, 상하수도·화장실의 설치 및 관리, 오염공기·석면·폐기물·소음·휘발성유기화합물·세균·먼지 등의 예방 및 처리 등 환경위생과 식기·식품·먹는 물의 관리 등 식품위생을 적절히 유지·관리하여야 한다. 〈개정 2008.2.29., 2013.3.23.〉

② 학교의 장은 제1항에 따라 교사 안에서의 환경위생 및 식품위생을 적절히 유지·관리하기 위하여 교육부령으로 정하는 바에 따라 점검하고, 그 결과를 기록·보존 및 보고하여야 한다. 〈개정 2008.2.29., 2013.3.23.〉

③ 학교의 장은 제2항에 따른 점검에 관한 업무를 교육부령으로 정하는 바에 따라 「환경분야 시험·검사 등에 관한 법률」 제16조에 따른 측정대행업자에게 위탁하거나 교육감에게 전문인력 등의 지원을 요청하여 수행할 수 있다. 〈개정 2008.2.29., 2013.3.23.〉

④ 학교의 장은 제2항과 제3항에 따른 점검 결과가 교육부령으로 정하는 기준에 맞지 아니한 경우에는 시설의 보완 등 필요한 조치를 하고 이를 교육부장관 및 교육감에게 보고하여야 한다. 〈개정 2008.2.29., 2013.3.23., 2016.3.2.〉

⑤ 교육부장관이나 교육감은 제1항에 따른 환경위생과 식품위생을 적절히 유지·관리하기 위하여 필요하다고 인정하면 관계 공무원에게 학교에 출입하여 제2항에 따른 점검을 하거나 점검 결과의 기록 등을 확인하게 할 수 있으며, 개선이 필요한 경우에는 행정적·재정적 지원을 할 수 있다. 〈개정 2008.2.29., 2013.3.23.〉

⑥ 학교의 장은 제2항 및 제4항에 따른 환경위생 및 식품위생 점검 결과 및 보완 조치를 교육부령으로 정하는 바에 따라 공개하여야 한다. 〈신설 2016.3.2.〉

[전문개정 2007.12.14.]

제5조 삭제 〈2016.2.3.〉

제6조 삭제 〈2016.2.3.〉

제6조의2 삭제 〈2016.2.3.〉

제6조의3 삭제 〈2016.2.3.〉

제7조(건강검사 등) ① 학교의 장은 학생과 교직원에 대하여 건강검사를 하여야 한다. 다만, 교직원에 대한 건강검사는 「국민건강보험법」 제52에 따른 건강검진으로 갈음할 수 있다. 〈개정 2011.12.31.〉

② 학교의 장은 제1항에 따라 건강검사를 할 때에 질병의 유무 등을 조사하거나 검사하기 위하여 다음 각 호의 어느 하나에 해당하는 학생에 대하여는 「국민건강보험법」 제52에 따른 건강검진 실시 기관에 의뢰하여 교육부령으로 정하는 사항에 대한 건강검사를 한다. 〈개정 2008.2.29., 2011.12.31., 2012.3.21., 2013.3.23.〉

1. 「초·중등교육법」 제2조제1호의 학교와 이에 준하는 특수학교·각종학교의 1학년 및 4학년 학생. 다만, 구강검진은 전 학년에 대하여 실시하되, 그 방법과 비용 등에 관한 사항은 지역실정에 따라 교육감이 정한다.

2. 「초·중등교육법」 제2조제2호·제3호의 학교와 이에 준하는 특수학교·각종학교의 1학년 학생

3. 그 밖에 건강을 보호·증진하기 위하여 교육부령으로 정하는 학생

③ 학교의 장은 제2항에 따른 건강검사 외에 학생의 건강을 보호·증진하기 위하여 필요하다고 인정하면 교육부령으로 정하는 바에 따라 그 학생을 별도로 검사할 수 있다. 〈개정 2008.2.29., 2013.3.23.〉

④ 학교의 장은 제1항과 제2항에도 불구하고 천재지변 등 부득이한 사유로 관할 교육감 또는 교육장의 승인을 받은 경우에는 교육부령으로 정하는 바에 따라 건강검사를 연기하거나 건강검사의 전부 또는 일부를 생략할 수 있다. 〈개정 2008.2.29., 2013.3.23.〉

⑤ 제2항에 따라 건강검사를 한 검진기관은 교육부령으로 정하는 바에 따라 그 검사결과를 해당 학생 또는 학부모와 해당 학교의 장에게 알려야 한다. 〈개정 2008.2.29., 2013.3.23.〉

⑥ 학교의 장은 제2조제1호의 정신건강 상태 검사를 실시함에 있어 필요한 경우에는 학부모의 동의 없이 실시할 수 있다. 이 경우 학교의 장은 지체 없이 해당 학부모에게 검사 사실을 통보하여야 한다. 〈신설 2012.3.21., 2016.3.2.〉

⑦ 제1항과 제2항에 따른 건강검사의 시기, 방법, 검사항목 및 절차 등에 관하여 필요한 사항은 교육부령으로 정한다. 〈개정 2008.2.29., 2012.3.21., 2013.3.23.〉

[전문개정 2007.12.14.]

제7조의2(학생건강증진계획의 수립·시행) ① 교육감은 학생의 신체 및 정신 건강증진을 위한 학생건강증진계획을 수립·시행하여야 한다. 〈신설 2013.12.30.〉

② 제1항에 따른 계획에는 제11조에 따른 학교의 장의 조치를 행정적 또는 재정적으로 지원하는 방안을 포함하여야 한다. 〈신설 2013.12.30.〉

③ 학교의 장은 제7조에 따른 건강검사의 결과를 평가하여 이를 바탕으로 학생건강증진계획을 수립·시행하여야 한다. 〈개정 2013.12.30.〉

④ 학교의 장은 제3항에 따라 건강검사의 결과를 평가하고, 학생정신건강증진계획을 수립하기 위하여 제15조제1항에 따른 학교의사 또는 학교약사에게 자문을 할 수 있다. 〈개정 2013.12.30.〉

[전문개정 2007.12.14.]

[제목개정 2013.12.30.]

제7조의3(건강검사기록) ① 학교의 장은 제7조에 따라 건강검사를 하였을 때에는 그 결과를 교육부령으로 정하는 기준에 따라 작성·관리하여야 한다. 〈개정 2008.2.29., 2013.3.23.〉

② 학교의 장이 제1항에 따라 건강검사 결과를 작성·관리할 때에 「초·중등교육법」 제30조의4에 따른 교육정보시스템을 이용하여 처리하여야 하는 자료는 다음과 같다. 〈개정 2008.2.29., 2013.3.23.〉

1. 인적사항

2. 신체의 발달상황 및 능력

3. 그 밖에 교육목적을 이루기 위하여 필요한 범위에서 교육부령으로 정하는 사항

③ 학교의 장은 소속 학교의 학생이 전출하거나 고등학교까지의 상급학교에 진학할 때에는 그 학교의 장에게 제1항에 따른 자료를 넘겨 주어야 한다.

[전문개정 2007.12.14.]

제8조(등교 중지) 학교의 장은 제7조에 따른 건강검사

의 결과나 의사의 진단 결과 감염병에 감염되었거나 감염된 것으로 의심되거나 감염될 우려가 있는 학생 및 교직원에 대하여 대통령령으로 정하는 바에 따라 등교를 중지시킬 수 있다. 〈개정 2009.12.29.〉

[전문개정 2007.12.14.]

제9조(학생의 보건관리) 학교의 장은 학생의 신체발달 및 체력증진, 질병의 치료와 예방, 음주·흡연과 약물 오용(誤用)·남용(濫用)의 예방, 성교육, 정신건강 증진 등을 위하여 보건교육을 실시하고 필요한 조치를 하여야 한다. 〈개정 2008.3.21., 2012.1.26.〉

[전문개정 2007.12.14.]

제9조의2(보건교육 등) ①교육부장관은 「초·중등교육법」 제2조에 따른 학교에서 모든 학생들을 대상으로 심폐소생술 등 응급처치에 관한 교육을 포함한 보건교육을 체계적으로 실시하여야 한다. 이 경우 보건교육의 실시 시간, 도서 등 그 운영에 필요한 사항은 교육부장관이 정한다. 〈개정 2008.2.29., 2013.3.23., 2013.12.30.〉

② 「초·중등교육법」 제2조에 따른 학교의 장은 교육부령으로 정하는 바에 따라 교직원을 대상으로 심폐소생술 등 응급처치에 관한 교육을 실시하여야 한다. 〈신설 2013.12.30.〉

[본조신설 2007.12.14.]

[제목개정 2013.12.30.]

제9조의2(보건교육 등) ①교육부장관은 「유아교육법」 제2조제2호에 따른 유치원 및 「초·중등교육법」 제2조에 따른 학교에서 모든 학생들을 대상으로 심폐소생술 등 응급처치에 관한 교육을 포함한 보건교육을 체계적으로 실시하여야 한다. 이 경우 보건교육의 실시 시간, 도서 등 그 운영에 필요한 사항은 교육부장관이 정한다. 〈개정 2008.2.29., 2013.3.23., 2013.12.30., 2016.12.20.〉

② 「유아교육법」 제2조제2호에 따른 유치원의 장 및 「초·중등교육법」 제2조에 따른 학교의 장은 교육부령으로 정하는 바에 따라 매년 교직원을 대상으로 심폐소생술 등 응급처치에 관한 교육을 실시하여야

한다. 〈신설 2013.12.30., 2016.12.20.〉

③ 「유아교육법」 제2조제2호에 따른 유치원의 장 및 「초·중등교육법」 제2조에 따른 학교의 장은 제2항에 따른 응급처치에 관한 교육과 연관된 프로그램의 운영 등을 관련 전문기관·단체 또는 전문가에게 위탁할 수 있다. 〈신설 2016.12.20.〉

[본조신설 2007.12.14.]

[제목개정 2013.12.30.]

〈br〉[시행일 : 2017.3.21.] 제9조의2

제10조(예방접종 완료 여부의 검사) ① 초등학교와 중학교의 장은 학생이 새로 입학한 날부터 90일 이내에 시장·군수 또는 구청장(자치구의 구청장을 말한다. 이하 같다)에게 「감염병의 예방 및 관리에 관한 법률」 제27조에 따른 예방접종증명서를 발급받아 같은 법 제24조 및 제25조에 따른 예방접종을 모두 받았는지를 검사한 후 이를 교육정보시스템에 기록하여야 한다. 〈개정 2009.12.29., 2016.2.3.〉

② 초등학교와 중학교의 장은 제1항에 따른 검사결과 예방접종을 모두 받지 못한 입학생에게는 필요한 예방접종을 받도록 지도하여야 하며, 필요하면 관할 보건소장에게 예방접종 지원 등의 협조를 요청할 수 있다.

[전문개정 2007.12.14.]

제11조(치료 및 예방조치 등) ① 학교의 장은 제7조에 따른 건강검사의 결과 질병에 감염되었거나 감염될 우려가 있는 학생에 대하여 질병의 치료 및 예방에 필요한 조치를 하여야 한다.

② 학교의 장은 제7조제1항에 따라 학생에 대하여 제2조제1호의 정신건강 상태를 검사한 결과 필요하면 학생 정신건강 증진을 위한 다음 각 호의 조치를 하여야 한다. 〈신설 2013.12.30.〉

1. 학생·학부모·교직원에 대한 정신건강 증진 및 이해 교육

2. 해당 학생에 대한 상담 및 관리

3. 해당 학생에 대한 전문상담기관 또는 의료기관 연계

4. 그 밖에 학생 정신건강 증진을 위하여 필요한 조치

③ 교육감은 검사비, 치료비 등 제2항 각 호의 조치에 필요한 비용을 지원할 수 있다. 〈신설 2013.12.30.〉

④ 학교의 장은 제1항 및 제2항의 조치를 위하여 필요하면 보건소장에게 협조를 요청할 수 있으며 보건소장은 정당한 이유 없이 이를 거부할 수 없다. 〈개정 2013.12.30.〉

[전문개정 2007.12.14.]

[제목개정 2013.12.30.]

제12조(학생의 안전관리) 학교의 장은 학생의 안전사고를 예방하기 위하여 학교의 시설·장비의 점검 및 개선, 학생에 대한 안전교육, 그 밖에 필요한 조치를 하여야 한다.

[전문개정 2007.12.14.]

제13조(교직원의 보건관리) 학교의 장은 제7조제1항에 따른 건강검사 결과 필요하거나 건강검사를 갈음하는 건강검진의 결과 필요하면 교직원에 대하여 질병 치료와 근무여건 개선 등 필요한 조치를 하여야 한다.

[전문개정 2007.12.14.]

제14조(질병의 예방) 감독청의 장은 감염병 예방과 학교의 보건에 필요하면 해당 학교의 휴업 또는 휴교(휴원을 포함한다. 이하 같다)를 명할 수 있으며, 학교의 장은 필요할 때에 휴업할 수 있다. 〈개정 2009.12.29., 2016.3.2.〉

[전문개정 2007.12.14.]

제14조의2(감염병 예방접종의 시행) 시장·군수 또는 구청장이 「감염병의 예방 및 관리에 관한 법률」 제24조 및 제25조에 따라 학교의 학생 또는 교직원에게 감염병의 정기 또는 임시 예방접종을 할 때에는 그 학교의 학교의사 또는 보건교사(간호사 면허를 가진 보건교사로 한정한다. 이하 이 조에서 같다)를 접종요원으로 위촉하여 그들로 하여금 접종하게 할 수 있다. 이 경우 보건교사에 대하여는 「의료법」 제27조제1항을 적용하지 아니한다. 〈개정 2009.12.29.〉

[전문개정 2007.12.14.]

[제목개정 2009.12.29.]

제14조의3(감염병예방대책의 마련 등) ① 교육부장관은 감염병으로부터 학생과 교직원을 보호하기 위하여 다음 각 호의 사항이 포함된 대책(이하 "감염병예방대책"이라 한다)을 마련하여야 한다. 이 경우 보건복지부장관 및 국민안전처장관과 협의하여야 한다.

1. 감염병의 예방·관리 및 후속조치에 관한 사항

2. 감염병 대응 관련 매뉴얼에 관한 사항

3. 감염병과 관련한 학교의 보건·위생에 관한 사항

4. 그 밖에 감염병과 관련하여 대통령령으로 정하는 사항

② 교육부장관은 제1항에 따라 감염병예방대책을 마련한 때에는 특별시장·광역시장·특별자치시장·도지사·특별자치도지사, 교육감 및 학교에 알려야 한다.

③ 교육감은 교육부장관의 감염병예방대책을 토대로 지역 실정에 맞는 감염병 예방 세부 대책을 마련하여야 한다.

④ 교육부장관과 보건복지부장관은 학교에서 감염병을 예방하기 위하여 긴밀한 협력 체계를 구축하고 감염병 발생 현황에 관한 정보 등 대통령령으로 정하는 정보(이하 "감염병정보"라 한다)를 공유하여야 한다.

⑤ 학교의 장은 해당 학교에 감염병에 걸렸거나 의심이 되는 학생 및 교직원이 있는 경우 즉시 교육감을 경유하여 교육부장관에게 보고하여야 한다.

⑥ 교육부장관은 제4항에 따른 공유를 하였거나 제5항에 따른 보고를 받은 경우 감염병의 확산을 방지하기 위하여 감염병정보를 신속히 공개하여야 한다.

⑦ 제4항부터 제6항까지에 따른 공유, 보고 및 공개의 방법과 절차는 교육부령으로 정한다.

[본조신설 2016.3.2.]

제14조의4(감염병대응매뉴얼의 작성 등) ① 교육부장관은 학교에서 감염병에 효과적으로 대응하기 위하여 보건복지부장관과의 협의를 거쳐 감염병 유형에 따른 대응 매뉴얼(이하 "감염병대응매뉴얼"이라 한다)을 작성·배포하여야 한다.

② 감염병대응매뉴얼의 작성·배포 등에 필요한 사항은 대통령령으로 정한다.

[본조신설 2016.3.2.]

제15조(학교에 두는 의료인·약사 및 보건교사) ① 학교에는 대통령령으로 정하는 바에 따라 학생과 교직원의 건강관리를 지원하는 「의료법」 제2조제1항에 따른 의료인과 「약사법」 제2조제2호에 따른 약사를 둘 수 있다. 〈개정 2012.1.26.〉

② 모든 학교에 제9조의2에 따른 보건교육과 학생들의 건강관리를 담당하는 보건교사를 둔다. 다만, 대통령령으로 정하는 일정 규모 이하의 학교에는 순회보건교사를 둘 수 있다.

[전문개정 2007.12.14.]

[제목개정 2012.1.26.]

제16조(보건기구의 설치 등) 교육감 및 교육장 소속으로 대통령령으로 정하는 바에 따라 학교의 보건 관리에 필요한 기구(機構)와 공무원을 둘 수 있다.

[전문개정 2007.12.14.]

제17조(학교보건위원회) ① 제2조의2에 따른 기본계획 및 학교보건의 중요시책을 심의하기 위하여 교육감 소속으로 시·도학교보건위원회를 둔다. 〈개정 2008.2.29., 2012.1.26.〉

② 시·도학교보건위원회는 학교의 보건에 경험이 있는 15명 이내의 위원으로 구성한다. 〈개정 2012.1.26.〉

③ 시·도학교보건위원회의 기능·운영과 그 밖에 필요한 사항은 대통령령으로 정한다. 〈개정 2012.1.26.〉

[전문개정 2007.12.14.]

제18조(경비 보조) 국가나 지방자치단체는 제7조제1항에 따른 건강검사에 드는 경비의 전부 또는 일부를 보조한다.

[전문개정 2007.12.14.]

제18조의2(비밀누설금지 등) 이 법에 따라 교직원 및 학생에 대한 건강검사와 관련된 업무를 수행하거나 수행하였던 자는 그 직무상 알게 된 비밀을 다른 사람에게 누설하거나 직무상 목적 외의 용도로 이용하여서는 아니 된다.

[본조신설 2013.12.30.]

제19조(벌칙) ① 제18조의2를 위반하여 직무상 알게 된 비밀을 다른 사람에게 누설하거나 직무상 목적 외의 용도로 이용한 자는 3년 이하의 징역 또는 3천만원 이하의 벌금에 처한다. 〈신설 2013.12.30.〉

② 삭제 〈2016.2.3.〉

[전문개정 2007.12.14.]

제20조 삭제 〈1998.12.31.〉

부칙 〈제1928호, 1967.3.30.〉

이 법은 공포후 90일이 경과한 날로부터 시행한다.

부칙 〈제3006호, 1977.7.23.〉

이 법은 공포한 날로부터 시행한다.

부칙 〈제3374호, 1981.2.28.〉

이 법은 공포한 날로부터 시행한다.

부칙 〈제4268호, 1990.12.27.〉 (정부조직법)

제1조 (시행일) 이 법은 공포한 날부터 시행한다. 〈단서 생략〉

제2조 및 제3조 생략

제4조 (문교부의 명칭변경에 따른 다른 법률의 개정) ① 내지 ⑩생략

㉛학교보건법중 다음과 같이 개정한다.

제17조제1항중 "문교부"를 "교육부"로 한다.

제4조 및 제7조제2항중 "문교부령"을 각각 "교육부령"으로 한다.

㉜내지 ㊿생략

제5조 내지 제10조 생략

부칙 〈제4349호, 1991.3.8.〉

이 법은 공포한 날부터 시행한다.

부칙 〈제5069호, 1995.12.29.〉 (교육법)

제1조 (시행일) 이 법은 1996년 3월 1일부터 시행한다.

제2조 생략

제3조 (다른 법률의 개정등) ①내지 ⑥생략

　⑦학교보건법중 다음과 같이 개정한다.

　제10조중 "국민학교"를 "초등학교"로 한다.

　⑧내지 ⑮생략

제4조 생략

부칙 〈제5454호, 1997.12.13.〉 (정부부처명칭등의변경에따른건축법등의정비에관한법률)

이 법은 1998년 1월 1일부터 시행한다. 〈단서 생략〉

부칙 〈제5618호, 1998.12.31.〉

이 법은 공포한 날부터 시행한다.

부칙 〈제6218호, 2000.1.28.〉

이 법은 2005년 3월 1일부터 시행한다.

부칙 〈제6400호, 2001.1.29.〉 (정부조직법)

제1조 (시행일) 이 법은 공포한 날부터 시행한다. 〈단서 생략〉

제2조 생략

제3조 (다른 법률의 개정) ①내지 ㉜생략

　㉝학교보건법중 다음과 같이 개정한다.

　제4조 및 제7조제2항중 "교육부령"을 각각 "교육인적자원부령"으로 한다.

　제17조제1항중 "교육부"를 "교육인적자원부"로 한다.

　㉞내지 〈79〉생략

제4조 생략

부칙 〈제6716호, 2002.8.26.〉

　①(시행일) 이 법은 공포한 날부터 시행한다.

　②(유효기간) 제6조제1항제5호의 개정규정은 2004년 12월 31일까지 효력을 가진다.

　③(정화구역 설정에 관한 특례) 종전의 출입국관리법(법률 제5755호로 개정되기 전의 것) 제39조제1항

의 규정에 의하여 교육인적자원부에 등록한 외국인단체가 2002년 12월 31일까지 초·중등교육법 제60조의2의 규정에 의한 외국인학교로 설립인가를 받은 경우에는 제5조제1항의 규정을 적용하지 아니한다.

부칙 〈제7120호, 2004.1.29.〉 (유아교육법)

제1조 (시행일) 이 법은 공포후 1년이 경과한 날부터 시행한다.

제2조 내지 제7조 생략

제8조 (다른 법률의 개정) ①내지 ⑥생략

　⑦학교보건법중 다음과 같이 개정한다.

　제6조제12호중 "초·중등교육법 제2조제1호"를 "유아교육법 제2조제2호"로 한다.

　⑧내지 ⑪생략

제9조 생략

부칙 〈제7170호, 2004.2.9.〉 (악취방지법)

제1조 (시행일) 이 법은 공포후 1년이 경과한 날부터 시행한다.

제2조 생략

제3조 (다른 법률의 개정) ①및 ②생략

　③학교보건법중 다음과 같이 개정한다.

　제6조제1항제1호중 "대기환경보전법 및 수질환경보전법"을 "대기환경보전법·악취방지법 및 수질환경보전법"으로 한다.

　④내지 ⑥생략

제4조 생략

부칙 〈제7396호, 2005.3.24.〉

　①(시행일) 이 법은 공포한 날부터 시행한다. 다만, 제2조제1호·제2조의2·제4조·제7조·제7조의2·제7조의3·제8조·제11조제1항·제13조 및 제17조의 개정규정과 제18조의 개정규정 중 "건강검사"부분은 2006년 1월 1일부터 시행한다.

　②(경륜장 등에 관한 경과조치) 이 법 시행당시 학교

환경위생정화구역안에 설치된 시설로서 제6조제1항 제13호의 개정규정에 해당하는 시설은 2009년 12월 31일까지 이전 또는 폐쇄하여야 한다. 다만, 2005년 12월 31일까지 제6조제1항 단서의 규정에 따라 교육감 또는 교육감이 위임한 자의 인정을 받은 경우에는 그러하지 아니하다.

③(신체검사에 관한 경과조치) 이 법 시행당시 종전의 규정에 따른 신체검사는 제7조의 개정규정에 따른 건강검사로 본다.

부칙 〈제7700호, 2005.12.7.〉

①(시행일) 이 법은 공포한 날부터 시행한다.

②(납골시설에 관한 경과조치) 이 법 시행 당시 학교환경위생정화구역안에 이미 설치된 납골시설에 대하여는 제6조제1항제3호의 개정규정을 적용하지 아니한다.

부칙 〈제7799호, 2005.12.29.〉 (청소년기본법)

제1조 (시행일) 이 법은 공포 후 3월이 경과한 날부터 시행한다.

제2조 생략

제3조 (다른 법률의 개정) ①내지 ⑧생략

⑨학교보건법 일부를 다음과 같이 개정한다.

제6조제1항제14호 중 "청소년위원회"를 "국가청소년위원회"로 한다.

⑩내지 ⑪생략

제4조 생략

부칙 〈제8366호, 2007.4.11.〉 (의료법)

제1조 (시행일) 이 법은 공포한 날부터 시행한다. 〈단서 생략〉

제2조 내지 제19조 생략

제20조 (다른 법률의 개정) ①내지 ⑮생략

⑯학교보건법 일부를 다음과 같이 개정한다.

제14조의2 후단 중 "의료법 제25조제1항"을 "「의료법」 제27조제1항"으로 한다.

⑰생략

제21조 생략

부칙 〈제8391호, 2007.4.27.〉

①(시행일) 이 법은 공포 후 1년이 경과한 날부터 시행한다.

②(기존 학교설립예정지에 대한 정화구역의 설정에 관한 경과조치) 이 법 시행 당시 「국토의 계획 및 이용에 관한 법률」 제30조에 따라 도시관리계획으로 결정되어 고시된 학교용지와 「유아교육법」 제8조 및 「초·중등교육법」 제4조에 따라 유치원 및 특수학교를 설립하기 위하여 확보된 용지(사립의 경우에는 설립인가를 받은 용지를 말한다)에 대하여는 이 법 시행 후 30일 이내에 제5조제1항의 개정규정에 따른 학교환경위생정화구역을 설정·고시하여야 한다.

③(기존 시설 등에 관한 경과조치) 이 법 시행 당시 학교설립예정지의 학교환경위생정화구역 안에 설치된 시설로서 제6조제1항제1호부터 제15호까지의 규정에 해당하는 시설은 해당 학교의 개교일 전까지 이전하거나 폐쇄하여야 한다. 다만, 제6조제1항 단서에 따라 교육감 또는 교육감이 위임한 자의 인정을 받은 경우에는 그러하지 아니하며, 학교의 개교일 전까지 이전하거나 폐쇄하기가 현저히 곤란하다고 인정되는 시설이 있을 때에는 그 학교의 개교일부터 5년의 범위 내에서 교육감이 별도의 계획을 수립하여 이전 또는 폐쇄하게 할 수 있다.

부칙 〈제8466호, 2007.5.17.〉 (수질 및 수생태계 보전에 관한 법률)

제1조 (시행일) 이 법은 공포 후 6개월이 경과한 날부터 시행한다.

제2조 및 제3조 생략

제4조 (다른 법률의 개정) ①부터 ㊺까지 생략

㊻학교보건법 일부를 다음과 같이 개정한다.

제6조제1항제1호 중 "수질환경보전법"을 "「수질 및 수생태계 보전에 관한 법률」"로 한다.

㊼부터 〈55〉까지 생략

제5조 생략

부칙 〈제8578호, 2007.8.3.〉

①(시행일) 이 법은 공포 후 1년이 경과한 날부터 시행한다.

②(기존 시설 등에 관한 경과조치) 이 법 시행 당시 학교환경위생정화구역안에 설치된 시설로서 제6조제1항제13호의3에 해당하는 게임물 시설은 이 법 시행 전에 이전하거나 폐쇄하여야 한다. 다만, 제6조제1항 단서에 따라 교육감 또는 교육감이 위임한 자의 인정을 받은 경우에는 그러하지 아니한다.

부칙 〈제8678호, 2007.12.14.〉

이 법은 공포한 날부터 시행한다. 다만, 제2조, 제4조, 제5조, 제6조제3항, 제6조의2 및 제19조의 개정규정은 2008년 4월 28일부터, 제6조제1항 및 제6조의3의 개정규정은 2008년 8월 4일부터, 제9조의2 및 제15조제2항의 개정규정은 2009년 3월 1일부터 각각 시행한다.

부칙 〈제8852호, 2008.2.29.〉 (정부조직법)

제1조 (시행일) 이 법은 공포한 날부터 시행한다. 다만, ···〈생략〉···, 부칙 제6조에 따라 개정되는 법률 중 이 법의 시행 전에 공포되었으나 시행일이 도래하지 아니한 법률을 개정한 부분은 각각 해당 법률의 시행일부터 시행한다.

제2조부터 제5조까지 생략

제6조 (다른 법률의 개정) ① 부터 〈104〉 까지 생략

〈105〉 학교보건법 일부를 다음과 같이 개정한다.

제4조제1항부터 제4항까지 중 "교육인적자원부령"을 각각 "교육과학기술부령"으로 하고, 같은 조 제5항 중 "교육인적자원부장관"을 "교육과학기술부장관"으로 한다.

제7조제2항 각 호 외의 부분·같은 항 제3호, 제7조제3항부터 제6항까지, 제7조의3제1항·제2항제3호 중 "교육인적자원부령"을 각각 "교육과학기술부령"으로 한다.

제9조의2 전단 및 후단, 제17조제1항 중 "교육인적자원부장관"을 각각 "교육과학기술부장관"으로 한다.

〈106〉 부터 〈760〉 까지 생략

제7조 생략

부칙 〈제8912호, 2008.3.21.〉

이 법은 공포한 날부터 시행한다. 다만, 제2조제3호나목의 개정규정은 2008년 4월 28일부터 시행한다.

부칙 〈제9770호, 2009.6.9.〉 (소음·진동관리법)

제1조(시행일) 이 법은 2010년 7월 1일부터 시행한다. 〈단서 생략〉

제2조부터 제5조까지 생략

제6조(다른 법률의 개정) ① 부터 ㉟ 까지 생략

㊱ 학교보건법 일부를 다음과 같이 개정한다.

제6조제1항제1호 중 「소음·진동규제법」을 「소음·진동관리법」으로 한다.

㊲ 및 ㊳ 생략

제7조 생략

부칙 〈제9847호, 2009.12.29.〉 (감염병의 예방 및 관리에 관한 법률)

제1조(시행일) 이 법은 공포 후 1년이 경과한 날부터 시행한다.

제2조부터 제20조까지 생략

제21조(다른 법률의 개정) ① 부터 ㉕ 까지 생략

㉖ 학교보건법 일부를 다음과 같이 개정한다.

제6조제1항제9호 및 제10호를 각각 다음과 같이 한다.

9. 감염병원, 감염병격리병사, 격리소

10. 감염병요양소, 진료소

제8조 중 "전염병"을 "감염병"으로 한다.

제10조제1항 중 「전염병예방법」 제20조에 따른 예방접종증명서를 발급받아 같은 법 제11조 및 제12조"를 「감염병의 예방 및 관리에 관한 법률」 제27조

에 따른 예방접종증명서를 발급받아 같은 법 제24조 및 제25조"로 한다.

제14조 중 "전염병"을 "감염병"으로 한다.

제14조의2의 제목 중 "전염병"을 "감염병"으로 하고, 같은 조 전단 중 "「전염병예방법」 제11조 및 제12조"를 "「감염병의 예방 및 관리에 관한 법률」 제24조 및 제25조"로, "전염병의"를 "감염병의"로 한다.

㉗ 부터 ㉚ 까지 생략

제22조 생략

부칙 〈제9932호, 2010.1.18.〉 (정부조직법)

제1조(시행일) 이 법은 공포 후 2개월이 경과한 날부터 시행한다. 〈단서 생략〉

제2조 및 제3조 생략

제4조(다른 법률의 개정) ① 부터 〈124〉 까지 생략

〈125〉 학교보건법 일부를 다음과 같이 개정한다.

제6조제1항제19호 중 "국가청소년위원회가"를 "여성가족부장관이"로 한다.

〈126〉 부터 〈137〉 까지 생략

제5조 생략

부칙 〈제11048호, 2011.9.15.〉 (청소년 보호법)

제1조(시행일) 이 법은 공포 후 1년이 경과한 날부터 시행한다. 〈단서 생략〉

제2조 및 제3조 생략

제4조(다른 법률의 개정) ①부터 ⑯까지 생략

⑰ 학교보건법 일부를 다음과 같이 개정한다.

제6조제1항제19호 중 "「청소년보호법」 제2조제5호가목(5)"를 "「청소년 보호법」 제2조제5호가목7)"으로, "같은 호 가목(6) 및 같은 호 나목(7)"을 "같은 호 가목8) 또는 9) 및 같은 호 나목7)"으로 한다.

제5조 생략

부칙 〈제11141호, 2011.12.31.〉 (국민건강보험법)

제1조(시행일) 이 법은 2012년 9월 1일부터 시행한다. 〈단서 생략〉

제2조부터 제20조까지 생략

제21조(다른 법률의 개정) ①부터 ㉖까지 생략

㉗ 학교보건법 일부를 다음과 같이 개정한다.

제7조제1항 단서 및 같은 조 제2항 각 호 외의 부분 중 "「국민건강보험법」 제47조"를 각각 "「국민건강보험법」 제52조"로 한다.

㉘ 생략

제22조 생략

부칙 〈제11220호, 2012.1.26.〉

이 법은 2012년 4월 1일부터 시행한다. 다만, 제2조제3호나목, 제6조제3항 및 제6조의3제2항의 개정규정은 2012년 7월 1일부터 시행한다. 〈개정 2012.3.21〉

부칙 〈제11384호, 2012.3.21.〉 (초·중등교육법)

제1조(시행일) 이 법은 공포한 날부터 시행한다. 〈단서 생략〉

제2조(다른 법률의 개정) ①부터 ④까지 생략

⑤ 학교보건법 일부를 다음과 같이 개정한다.

제2조제3호다목 중 "「초·중등교육법」 제2조제5호"를 "「초·중등교육법」 제2조제4호"로 한다.

제7조제2항제1호 본문 중 "「초·중등교육법」 제2조제2호"를 "「초·중등교육법」 제2조제1호"로 한다.

제7조제2항제2호 중 "「초·중등교육법」 제2조제3호·제4호"를 "「초·중등교육법」 제2조제2호·제3호"로 한다.

부칙 〈제11386호, 2012.3.21.〉

이 법은 2012년 4월 1일부터 시행한다.

부칙 〈제11690호, 2013.3.23.〉 (정부조직법)

제1조(시행일) ① 이 법은 공포한 날부터 시행한다.

② 생략

제2조부터 제5조까지 생략

제6조(다른 법률의 개정) ①부터 〈73〉까지 생략

〈74〉 학교보건법 일부를 다음과 같이 개정한다.

제4조제1항부터 제4항까지, 제7조제2항 각 호 외의 부분, 같은 항 제3호, 같은 조 제3항·제4항·제5항·제7항 및 제7조의3제1항, 같은 조 제2항제3호 중 "교육과학기술부령"을 각각 "교육부령"으로 한다.

제4조제5항 및 제9조의2 전단·후단 중 "교육과학기술부장관"을 각각 "교육부장관"으로 한다.

〈75〉부터 〈710〉까지 생략

제7조 생략

부칙 〈제12131호, 2013.12.30.〉

이 법은 공포한 날부터 시행한다. 다만, 제9조의2, 제18조의2 및 제19조제1항의 개정규정은 공포 후 6개월이 경과한 날부터 시행한다.

부칙 〈제13879호, 2016.1.27.〉 (수질 및 수생태계 보전에 관한 법률)

제1조(시행일) 이 법은 공포 후 1년이 경과한 날부터 시행한다. 〈단서 생략〉

제2조부터 제11조까지 생략

제12조(다른 법률의 개정) ①부터 ⑭까지 생략

⑮ 학교보건법 일부를 다음과 같이 개정한다.

제6조제1항제7호 중 "폐수종말처리시설"을 "공공폐수처리시설"로 한다.

⑯부터 ⑳까지 생략

부칙 〈제13946호, 2016.2.3.〉

제1조(시행일) 이 법은 공포 후 1년이 경과한 날부터 시행한다.

제2조(벌칙에 관한 경과조치) 이 법 시행 전의 행위에 대하여 벌칙을 적용할 때에는 종전의 규정에 따른다.

부칙 〈제14055호, 2016.3.2.〉

이 법은 공포 후 6개월이 경과한 날부터 시행한다. 다만, 제7조제6항의 개정규정은 공포한 날부터 시행한다.

2) 학교보건법 시행령

[시행 2017.2.4.] [대통령령 제27831호, 2017.2.3., 일부개정]

제1장 총칙

제1조(목적) 이 영은 「학교보건법」에서 위임된 사항과 그 시행에 필요한 사항을 규정함을 목적으로 한다.

제2조(보건실의 설치기준) ① 「학교보건법」(이하 "법"이라 한다) 제3조에 따른 보건실의 설치기준은 다음 각 호와 같다. 〈개정 2012.8.13., 2013.3.23.〉

1. 위치: 학생과 교직원의 응급처치 등이 신속히 이루어질 수 있도록 이용하기 쉽고 통풍과 채광이 잘 되는 장소일 것

2. 면적: 66제곱미터 이상. 다만, 교육부장관(「대학설립·운영 규정」 제1조에 따른 대학만 해당된다) 또는 특별시·광역시·특별자치시·도 또는 특별자치도(이하 "시·도"라 한다)의 교육감(「고등학교 이하 각급 학교 설립·운영 규정」 제2조에 따른 각급 학교만 해당된다)은 학생수 등을 고려하여 학생과 교직원의 건강관리에 지장이 없는 범위에서 그 면적을 완화할 수 있다.

② 제1항에 따른 보건실에는 학교보건에 필요한 다음 각 호의 시설 및 기구를 갖추어야 한다.

1. 학생과 교직원의 건강관리와 응급처치 등에 필요한 시설 및 기구

2. 학교환경위생 및 식품위생검사에 필요한 기구

③ 제2항에 따라 보건실에 갖추어야 하는 시설 및 기구의 구체적인 기준은 「초·중등교육법」 제3조에 따른 국립학교와 「고등교육법」 제2조 각 호에 따른 학교의 경우에는 교육부령으로 정하고, 「초·중등교육법」 제3조에 따른 공립학교 및 사립학교의 경우에는 시·도 교육규칙으로 정한다. 〈개정 2012.8.13., 2013.3.23.〉

제2장 삭제 〈2017.2.3.〉

제3조 삭제 〈2017.2.3.〉

제4조 삭제 〈2017.2.3.〉

제5조 삭제 〈2017.2.3.〉

제6조 삭제 〈2017.2.3.〉

제7조 삭제 〈2017.2.3.〉

제7조의2 삭제 〈2017.2.3.〉

제7조의3 삭제 〈2017.2.3.〉

제7조의4 삭제 〈2017.2.3.〉

제8조 삭제 〈2017.2.3.〉

제3장 삭제 〈2017.2.3.〉

제9조 삭제 〈2017.2.3.〉

제10조 삭제 〈2017.2.3.〉

제11조 삭제 〈2017.2.3.〉

제12조 삭제 〈2017.2.3.〉

제4장 삭제 〈2017.2.3.〉

제13조 삭제 〈2017.2.3.〉

제14조 삭제 〈2017.2.3.〉

제15조 삭제 〈2017.2.3.〉

제16조 삭제 〈2017.2.3.〉

제17조 삭제 〈2017.2.3.〉

제18조 삭제 〈2017.2.3.〉

제19조 삭제 〈2017.2.3.〉

제5장 삭제 〈2017.2.3.〉

제20조 삭제 〈2017.2.3.〉

제21조 삭제 〈2017.2.3.〉

제6장 학교의사의 배치 등 및 학교보건위원회

제22조(등교 등의 중지) ① 학교의 장은 법 제8조에 따라 학생과 교직원 중 다음 각 호의 어느 하나에 해당하는 사람에 대하여 등교중지를 명할 수 있다. 〈개정 2010.12.29., 2016.8.29.〉

1. 「감염병의 예방 및 관리에 관한 법률」 제2조에 따른 감염병환자, 감염병의사환자 및 병원체보유자(이하 "감염병환자등"이라 한다). 다만, 의사가 다른 사람에게 감염될 우려가 없다고 진단한 사람

은 제외한다.

2. 제1호 외의 환자로서 의사가 감염성이 강한 질환에 감염되었다고 진단한 사람

② 학교의 장이 제1항에 따라 등교중지를 명할 때에는 그 사유와 기간을 구체적으로 밝혀야 한다. 다만, 질환증세 또는 질병유행의 양상에 따라 필요한 경우에는 그 기간을 단축하거나 연장할 수 있다.

제22조의2(감염병예방대책의 마련 등) ① 법 제14조의3제1항제4호에서 "대통령령으로 정하는 사항"이란 다음 각 호의 사항을 말한다.

1. 감염병 예방·관리에 필요한 교육에 관한 사항

2. 감염병 대응 능력 강화를 위한 도상연습 등 실제 상황 대비 훈련에 관한 사항

3. 감염병 방역에 필요한 물품의 비축 및 시설의 구비에 관한 사항

4. 그 밖에 감염병의 예방·관리를 위하여 교육부장관이 필요하다고 인정하는 사항

② 법 제14조의3제4항에서 "감염병 발생 현황에 관한 정보 등 대통령령으로 정하는 정보"란 「감염병의 예방 및 관리에 관한 법률」 제2조제5호에 따른 제4군감염병이 국내에서 새롭게 발생하였거나 국내에 유입된 경우 또는 같은 법 제41조제1항에 따라 보건복지부장관이 고시한 감염병에 대하여 「재난 및 안전관리 기본법」 제38조제2항에 따른 주의 이상의 예보 또는 경보가 발령된 경우 해당 감염병에 관한 다음 각 호의 정보를 말한다.

1. 감염병명

2. 감염병의 발생 현황 또는 유입 경로

3. 감염병환자등(학생 및 교직원에 한정한다)의 발병일·진단일·이동경로·이동수단 및 접촉자 현황

4. 그 밖에 교육부장관 또는 보건복지부장관이 감염병의 예방 및 확산을 방지하기 위하여 필요하다고 인정하는 정보

[본조신설 2016.8.29.]

제22조의3(감염병대응매뉴얼의 작성 및 배포 등) ① 법 제14조의4제1항에 따라 작성·배포하여야 하는 감염

병 유형에 따른 대응 매뉴얼(이하 "감염병대응매뉴얼"이라 한다)에는 다음 각 호의 사항이 포함되어야 한다.

1. 감염병 유형에 따른 학생 및 교직원의 행동 요령에 관한 사항

2. 감염병 유형에 따른 예방·대비·대응 및 복구 단계별 조치에 관한 사항

② 교육부장관은 감염병대응매뉴얼을 배포하는 경우에는 전자적 파일이나 인쇄물의 형태로 배포할 수 있다.

③ 특별시·광역시·특별자치시·도 또는 특별자치도 교육감(이하 "교육감"이라 한다) 및 학교의 장은 감염병의 예방·대비·대응 및 복구 조치에 관한 업무를 추진할 때 감염병대응매뉴얼을 활용하여야 한다. 〈개정 2017.2.3.〉

④ 교육감 및 학교의 장은 각 지역 또는 학교의 특성을 반영한 내용을 감염병대응매뉴얼에 추가·보완할 수 있다.

[본조신설 2016.8.29.]

제23조(학교의사, 학교약사 및 보건교사) ① 법 제15조에 따라 학교에 다음과 같이 학교의사(치과의사 및 한의사를 포함한다. 이하 같다), 학교약사와 보건교사를 둔다.

1. 18학급 이상의 초등학교에는 학교의사 1명, 학교약사 1명 및 보건교사 1명을 두고, 18학급 미만의 초등학교에는 학교의사 또는 학교약사 중 1명을 두고, 보건교사 1명을 둘 수 있다.

2. 9학급 이상인 중학교와 고등학교에는 학교의사 1명, 학교약사 1명 및 보건교사 1명을 두고, 9학급 미만인 중학교와 고등학교에는 학교의사 또는 학교약사 중 1명과 보건교사 1명을 둔다.

3. 대학(3개 이상의 단과대학을 두는 대학에서는 단과대학), 사범대학, 교육대학, 전문대학에는 학교의사 1명 및 학교약사 1명을 둔다.

4. 고등기술학교, 공민학교, 고등공민학교, 특수학교, 유치원 및 각종학교에는 제1호부터 제3호까지에 규정된 해당 학교에 준하여 학교의사, 학교약사 및 보건교사를 둔다.

② 제1항에 따른 학교의사, 학교약사는 각각 그 면허가 있는 사람 중에서 학교장이 위촉한다.

③ 제1항에 따른 보건교사, 학교의사 및 학교약사의 직무는 다음과 같다.

1. 보건교사의 직무

가. 학교보건계획의 수립

나. 학교 환경위생의 유지·관리 및 개선에 관한 사항

다. 학생과 교직원에 대한 건강진단의 준비와 실시에 관한 협조

라. 각종 질병의 예방처치 및 보건지도

마. 학생과 교직원의 건강관찰과 학교의사의 건강상담, 건강평가 등의 실시에 관한 협조

바. 신체가 허약한 학생에 대한 보건지도

사. 보건지도를 위한 학생가정 방문

아. 교사의 보건교육 협조와 필요시의 보건교육

자. 보건실의 시설·설비 및 약품 등의 관리

차. 보건교육자료의 수집·관리

카. 학생건강기록부의 관리

타. 다음의 의료행위(간호사 면허를 가진 사람만 해당한다)

1) 외상 등 흔히 볼 수 있는 환자의 치료

2) 응급을 요하는 자에 대한 응급처치

3) 부상과 질병의 악화를 방지하기 위한 처치

4) 건강진단결과 발견된 질병자의 요양지도 및 관리

5) 1)부터 4)까지의 의료행위에 따르는 의약품 투여

파. 그 밖에 학교의 보건관리

2. 학교의사의 직무

가. 학교보건계획의 수립에 관한 자문

나. 학교 환경위생의 유지·관리 및 개선에 관한 자문

다. 학생과 교직원의 건강진단과 건강평가

라. 각종 질병의 예방처치 및 보건지도

마. 학생과 교직원의 건강상담

바. 그 밖에 학교보건관리에 관한 지도

3. 학교약사의 직무

가. 학교보건계획의 수립에 관한 자문

나. 학교환경위생의 유지관리 및 개선에 관한 자문

다. 학교에서 사용하는 의약품과 독극물의 관리에 관한 자문

라. 학교에서 사용하는 의약품 및 독극물의 실험·검사

마. 그 밖에 학교보건관리에 관한 지도

제24조(보건위원회의 기능) ① 삭제 〈2012.8.13.〉

② 법 제17조제1항에 따른 시·도학교보건위원회(이하 "보건위원회"라 한다)는 다음 각 호의 사항을 심의한다. 〈개정 2012.8.13.〉

1. 학생과 교직원의 건강증진에 관한 시·도의 중·장기 기본계획

2. 학교보건과 관련되는 시·도의 조례 또는 교육규칙의 제정·개정안

3. 교육감이 회의에 부치는 학교보건정책 등에 관한 사항

4. 삭제 〈2017.2.3.〉

[제목개정 2012.8.13.]

제25조(보건위원회의 구성) ① 보건위원회에는 위원장과 부위원장 각 1명을 두되, 위원장과 부위원장은 위원 중에서 호선한다. 〈개정 2012.8.13.〉

② 삭제 〈2012.8.13.〉

③ 보건위원회 위원은 해당 교육청의 국장급 공무원 및 학교보건에 관하여 학식이 있거나 경험이 있는 사람 중에서 교육감이 임명하거나 위촉한다. 〈개정 2012.8.13.〉

④ 제3항에 따라 위촉한 위원의 임기는 2년으로 하되, 연임할 수 있다. 다만, 보궐위원의 임기는 전임자 임기의 남은 기간으로 한다. 〈개정 2012.8.13.〉

[제목개정 2012.8.13.]

제26조(위원장 등의 직무) ① 보건위원회의 위원장은 보건위원회를 대표하고, 회의에 관한 사무를 총괄한다.

② 보건위원회의 위원장이 부득이한 사유로 직무를 수행할 수 없을 때에는 부위원장이 그 직무를 대행한다.

제27조(회의) ① 보건위원회의 위원장은 다음 각 호의 어느 하나에 해당하는 경우에 회의를 소집하고, 그 의장이 된다. 〈개정 2012.8.13.〉

1. 교육감이 요청하는 경우

2. 재적위원 3분의 1 이상이 요구하는 경우

3. 그 밖에 학생과 교직원의 건강을 보호·증진하기 위한 사항을 심의하기 위하여 위원장이 필요하다고 인정하는 경우

② 회의는 재적위원 과반수의 출석으로 개의하고, 출석위원 과반수의 찬성으로 의결한다.

제28조(분과위원회) ① 보건위원회에 전문분야별로 분과위원회를 둘 수 있다.

② 분과위원회는 보건위원회의 심의사항 중 보건위원회에서 위임한 사항을 심의한다.

③ 보건위원회 위원의 분과위원회 배속은 교육감이 정한다. 〈개정 2012.8.13.〉

④ 분과위원회에 분과위원장 1명을 두되, 분과위원장은 분과위원회 위원 중에서 호선한다.

⑤ 분과위원회의 회의에 관하여는 제27조를 준용한다.

제29조(간사와 서기) ① 보건위원회에 간사 1명과 서기 약간 명을 둔다.

② 보건위원회의 간사와 서기는 교육감이 소속 공무원 중에서 임명한다. 〈개정 2012.8.13.〉

③ 간사는 위원장의 명을 받아 위원회의 사무를 처리하고, 서기는 간사를 보조한다.

제30조(협조 요청) 교육부장관 또는 교육감은 학교보건위생에 관한 비영리법인, 비영리의료기관이나 국공립 보건의료기관에 대하여 학생과 교직원의 건강의 보호·증진을 위하여 필요한 협조를 요청할 수 있다. 〈개정 2013.3.23.〉

제31조(전문가 등의 의견청취 등) ① 보건위원회와 분과위원회는 필요하면 관계 전문가의 의견을 들을 수 있다.

② 보건위원회와 분과위원회는 필요하면 관계 공무원에게 관련 자료를 제출하거나 출석하여 답변할 것

을 요청할 수 있으며, 그 관계 공무원은 특별한 사
유가 없으면 보호위원회 또는 분과위원회의 요청에
따라야 한다.

[전문개정 2017.2.3.]

제31조의2(수당과 여비) 보건위원회에 출석하는 위원회
의 위원 또는 관계 전문가 등에게는 예산의 범위에
서 수당과 여비, 그 밖에 필요한 경비를 지급할 수
있다. 다만, 공무원이 그 소관 업무와 직접적으로
관련되어 위원회에 출석하는 경우에는 그러하지 아
니하다.

[본조신설 2017.2.3.]

제31조의3(운영세칙) 이 영에서 규정한 사항 외에 보건
위원회와 분과위원회의 운영에 필요한 사항은 보건
위원회의 의결을 거쳐 위원장이 정한다.

[본조신설 2017.2.3.]

제7장 보칙

제32조 삭제 〈2017.2.3.〉

제32조의2(민감정보 및 고유식별정보의 처리) ① 학교
의 장은 법 제7조에 따른 건강검사에 관한 사무를
수행하기 위하여 불가피한 경우 「개인정보 보호법」
제23조에 따른 건강에 관한 정보, 같은 법 시행령
제19조제1호 또는 제4호에 따른 주민등록번호 또는
외국인등록번호가 포함된 자료를 처리할 수 있다. 〈
개정 2016.8.29.〉

② 초등학교와 중학교의 장은 법 제10조에 따른 예
방접종 완료 여부의 검사에 관한 사무를 수행하기
위하여 불가피한 경우 「개인정보 보호법」 제23조에
따른 건강에 관한 정보, 같은 법 시행령 제19조제1
호 또는 제4호에 따른 주민등록번호 또는 외국인등
록번호가 포함된 자료를 처리할 수 있다. 〈개정
2016.8.29.〉

③ 시장·군수 또는 구청장(자치구의 구청장을 말하
며, 시장·군수 또는 구청장의 해당 권한이 위임·위
탁된 경우에는 그 권한을 위임·위탁받은 자를 포함
한다)은 법 제14조의2에 따른 감염병 예방접종의 시

행에 관한 사무를 수행하기 위하여 불가피한 경우
「개인정보 보호법」 제23조에 따른 건강에 관한 정
보, 같은 법 시행령 제19조제1호 또는 제4호에 따른
주민등록번호 또는 외국인등록번호가 포함된 자료
를 처리할 수 있다. 〈개정 2016.8.29., 2017.2.3.〉

④ 교육부장관, 보건복지부장관, 교육감 또는 학교
의 장은 다음 각 호의 사무를 수행하기 위하여 불가
피한 경우 「개인정보 보호법」 제23조에 따른 건강에
관한 정보, 같은 법 시행령 제19조제1호 또는 제4호
에 따른 주민등록번호 또는 외국인등록번호가 포함
된 자료를 처리할 수 있다. 〈신설 2016.8.29.〉

1. 법 제14조의3제4항에 따른 감염병정보의 공유에
   관한 사무

2. 법 제14조의3제5항에 따른 감염병정보의 보고에
   관한 사무

3. 법 제14조의3제6항에 따른 감염병정보의 공개에
   관한 사무

[본조신설 2014.8.6.]

제33조(규제의 재검토) 교육부장관은 다음 각 호의 사
항에 대하여 다음 각 호의 기준일을 기준으로 3년
마다(매 3년이 되는 해의 기준일과 같은 날 전까지
를 말한다) 그 타당성을 검토하여 개선 등의 조치를
하여야 한다.

1. 제2조에 따른 보건실의 설치기준과 보건실에 갖추
   어야 하는 시설 및 기구의 기준: 2016년 1월 1일

2. 제23조에 따른 학교의사, 학교약사 및 보건교사
   의 배치기준, 자격 및 직무: 2014년 1월 1일

[전문개정 2017.2.3.]

부칙 〈제20949호, 2008.8.4.〉

제1조(시행일) 이 영은 2008년 8월 4일부터 시행한다.

제2조(기존시설에 대한 경과조치) 이 영 시행 전에 다음
각 호에 따라 교육감 또는 교육감이 지정하는 자의
인정을 받은 시설은 이 영에 따른 정화위원회의 심
의를 거쳐 법 제6조제1항 단서에 따른 교육감 또는
교육감이 지정하는 자의 인정을 받은 시설로 본다.

1. 대통령령 제10481호 학교보건법시행령중개정령 부칙 제3항
2. 대통령령 제13214호 학교보건법시행령중개정령 부칙 제2항
3. 대통령령 제13982호 학교보건법시행령중개정령 부칙 제2항
4. 대통령령 제15607호 학교보건법시행령중개정령 부칙 제2항

제3조(다른 법령과의 관계) 이 영 시행 당시 다른 법령에서 「학교보건법 시행령」의 규정을 인용하고 있는 경우 이 영 중 그에 해당하는 규정이 있으면 종전의 규정을 갈음하여 이 영의 해당 조항을 인용한 것으로 본다.

부칙 〈제22075호, 2010.3.15.〉 (보건복지부와 그 소속 기관 직제)

제1조(시행일) 이 영은 2010년 3월 19일부터 시행한다. 〈단서 생략〉

제2조(다른 법령의 개정) ① 부터 〈169〉 까지 생략

〈170〉 학교보건법 시행령 일부를 다음과 같이 개정한다.

제25조제2항제2호 중 "보건복지가족부장관"을 "보건복지부장관"으로 한다.

〈171〉 부터 〈187〉 까지 생략

부칙 〈제22232호, 2010.6.29.〉

이 영은 2010년 9월 1일부터 시행한다.

부칙 〈제22564호, 2010.12.29.〉 (감염병의 예방 및 관리에 관한 법률 시행령)

제1조(시행일) 이 영은 2010년 12월 30일부터 시행한다. 〈단서 생략〉

제2조부터 제6조까지 생략

제7조(다른 법령의 개정) ①부터 ㉕까지 생략

㉖ 학교보건법 시행령 일부를 다음과 같이 개정한다.

제22조제1항제1호 본문을 다음과 같이 하고, 같은 호 단서 중 "전염"을 "감염"으로 하며, 같은 항 제2호 중 "전염성"을 "감염성"으로 한다.

「감염병의 예방 및 관리에 관한 법률」 제2조에 따른 감염병환자, 감염병의사환자 및 감염병병원체보유자

㉗부터 ㉙까지 생략

제8조 생략

부칙 〈제23718호, 2012.4.10.〉 (국토의 계획 및 이용에 관한 법률 시행령)

제1조(시행일) 이 영은 2012년 4월 15일부터 시행한다. 〈단서 생략〉

제2조부터 제13조까지 생략

제14조(다른 법령의 개정) ①부터 〈79〉까지 생략

〈80〉 학교보건법 시행령 일부를 다음과 같이 개정한다.

제10조제5항 중 "도시관리계획"을 "도시·군관리계획"으로 한다.

제14조제2항제2호 및 제4호 중 "도시계획"을 "도시·군계획"으로 한다.

〈81〉부터 〈85〉까지 생략

제15조 생략

부칙 〈제23928호, 2012.7.4.〉 (위원회 운영의 공정성 제고를 위한 경제자유구역 및 제주국제자유도시의 외국교육기관 설립·운영에 관한 특별법 시행령 등 일부개정령)

이 영은 공포한 날부터 시행한다. 〈단서 생략〉

부칙 〈제24026호, 2012.8.13.〉

제1조(시행일) 이 영은 공포한 날부터 시행한다. 다만, 제7조 및 제7조의2의 개정규정은 공포 후 3개월이 경과한 날부터 시행한다.

제2조(정화위원회 위원의 임기에 관한 적용례) ① 제7조의2의 개정규정은 이 영 시행 후 정화위원회의 위원

으로 위촉(연임을 포함한다)되는 사람부터 적용한다.

② 제1항에 따라 제7조의2의 개정규정을 적용하는 경우에 이 영 시행 전에 최초로 위촉되어 임기 중에 있는 위원은 그 임기 만료 후 한 차례 연임할 수 있고, 이 영 시행 전에 한 차례 이상 연임되어 임기 중에 있는 위원은 그 임기 만료 후에는 연임할 수 없다.

부칙 〈제24423호, 2013.3.23.〉 (교육부와 그 소속기관 직제)

제1조(시행일) 이 영은 공포한 날부터 시행한다. 〈단서 생략〉

제2조부터 제6조까지 생략

제7조(다른 법령의 개정) ①부터 〈85〉까지 생략

〈86〉 학교보건법 시행령 일부를 다음과 같이 개정한다.

제2조제1항제2호 단서, 제9조제4항 및 제30조 중 "교육과학기술부장관"을 각각 "교육부장관"으로 한다.

제2조제3항, 제9조제2항·제3항, 제10조제4항 및 제20조제4항 중 "교육과학기술부령"을 각각 "교육부령"으로 한다.

〈87〉부터 〈105〉까지 생략

부칙 〈제24666호, 2013.7.22.〉

제1조(시행일) 이 영은 공포한 날부터 시행한다.

제2조(평가서의 일부 생략 등에 관한 적용례) 제9조제2항 및 제10조제3항의 개정규정은 이 영 시행 후에 학교용지 선정자가 교육감에게 평가서를 제출하는 경우부터 적용한다.

부칙 〈제25050호, 2013.12.30.〉 (행정규제기본법 개정에 따른 규제 재검토기한 설정을 위한 주택법 시행령 등 일부개정령)

이 영은 2014년 1월 1일부터 시행한다. 〈단서 생략〉

부칙 〈제25255호, 2014.3.18.〉

제1조(시행일) 이 영은 공포한 날부터 시행한다.

제2조(기존 시설에 관한 경과조치) 이 영 시행 전에 학교환경위생 정화구역 안에 설치된 시설로서 제6조제6호의 개정규정에 따른 복합영상물제공업의 시설은 2019년 2월 28일까지 이전하거나 폐쇄하여야 한다. 다만, 법 제6조제1항 각 호 외의 부분 단서에 따라 교육감이나 교육감이 위임한 자의 인정을 받은 시설은 제외한다.

부칙 〈제25532호, 2014.8.6.〉 (민감정보 및 고유식별정보 처리 근거 마련을 위한 공공기관의 운영에 관한 법률 시행령 등 일부개정령)

이 영은 2014년 8월 7일부터 시행한다.

부칙 〈제25840호, 2014.12.9.〉 (규제 재검토기한 설정 등 규제정비를 위한 건축법 시행령 등 일부개정령)

제1조(시행일) 이 영은 2015년 1월 1일부터 시행한다.

제2조부터 제16조까지 생략

부칙 〈제26571호, 2015.10.6.〉

제1조(시행일) 이 영은 공포한 날부터 시행한다.

제2조(평가서의 검토 절차 생략에 관한 적용례) 제10조제3항 단서의 개정규정은 이 영 시행 당시 법 제6조의2제2항에 따른 승인과 관련한 절차가 진행 중인 경우에 대해서도 적용한다.

부칙 〈제26855호, 2015.12.31.〉 (규제 재검토기한 설정을 위한 고등교육법 시행령 등 일부개정령)

이 영은 공포한 날부터 시행한다.

부칙 〈제27457호, 2016.8.29.〉

이 영은 2016년 9월 3일부터 시행한다.

부칙 〈제27831호, 2017.2.3.〉

이 영은 2017년 2월 4일부터 시행한다.

3) 학교보건법 시행규칙

[시행 2017.2.4.] [교육부령 제120호, 2017.2.3., 일부개정]

제1조(목적) 이 규칙은 「학교보건법」 및 동법 시행령에서 위임된 사항과 그 시행에 관하여 필요한 사항을 규정함을 목적으로 한다. 〈개정 2005.11.14.〉

제2조(보건실의 시설 및 기구) 「학교보건법 시행령」(이하 "영"이라 한다) 제2조에 따라 보건실에 갖추어야 하는 시설 및 기구의 구체적인 기준은 별표 1과 같다. 〈개정 2005.11.14., 2008.4.28., 2008.8.4.〉

제3조(환경위생 및 식품위생의 유지관리) ① 「학교보건법」(이하 "법"이라 한다) 제4조에 따라 학교의 장이 유지·관리하여야 하는 교사안에서의 환경위생 및 식품위생에 관한 기준은 다음 각 호와 같다. 〈개정 2005.11.14., 2008.4.28.〉

1. 환기·채광·조명·온습도의 조절기준과 환기설비의 구조 및 설치기준은 별표 2와 같다.

2. 상하수도·화장실의 설치 및 관리기준은 별표 3과 같다.

3. 폐기물 및 소음의 예방 및 처리기준은 별표 4와 같다.

3의2. 교사 안에서의 공기의 질에 대한 유지·관리기준은 별표 4의2와 같다.

4. 식기·식품·먹는 물의 관리 등 식품위생에 관한 기준은 별표 5와 같다.

② 학교의 장은 교사안에서의 환경위생 및 식품위생 상태가 제1항 규정에 따른 기준에 적합한지 여부를 확인하기 위하여 점검을 실시하여야 한다. 〈개정 2005.11.14., 2008.4.28.〉

③ 제2항에 따라 실시하는 점검의 종류 및 시기는 별표 6과 같이 하고, 점검방법 그 밖의 필요한 사항은 교육부장관이 정하여 이를 고시한다. 〈개정 2005.11.14., 2008.3.4., 2008.4.28., 2013.3.23.〉

④ 학교의 장은 제2항 및 제3항에 따라 점검을 실시한 때에는 그 결과를 기록·비치하여야 하고, 교사안에서의 환경위생 및 식품위생의 상태가 제1항의 기준에 미달되는 경우에는 시설의 보완 등 필요한 조치를 강구하여야 한다. 〈개정 2005.11.14., 2008.4.28.〉

⑤ 학교의 장은 법 제4조제6항에 따라 환경위생 및 식품위생에 대한 점검 결과 및 보완 조치 내용을 학교의 홈페이지 또는 교육부장관이 운영하는 공시 관련 홈페이지를 통하여 공개하여야 한다. 〈신설 2016.9.1.〉

제3조의2(검사요청 등) ① 법 제4조에 따른 교사 안의 환경위생 및 식품위생을 유지·관리하기 위하여 학교의 장이 제3조제2항에 따른 점검을 실시하는 경우에는 교육감 또는 교육장에게 점검방법의 지도 및 전문인력 등의 지원을 요청하거나 환경위생 및 식품위생의 상태를 전문적으로 점검하는 기관에 의뢰하여 오염의 정도를 측정하게 할 수 있다. 〈개정 2008.4.28.〉

② 교육감 또는 교육장은 제1항에 따라 지원요청을 받은 경우에는 소속 공무원으로 하여금 관할학교에 대하여 오염물질을 직접 검사하게 하거나 환경위생 및 식품위생의 상태를 전문적으로 점검하는 기관에 의뢰하여 오염의 정도를 측정하게 할 수 있다. 〈개정 2008.4.28.〉

[본조신설 2005.11.14.]

제3조의3(환경위생관리자의 지정 및 교육) ① 학교의 장은 법 제4조에 따라 교사 안에서의 환경위생을 유지·관리하기 위하여 소속 교직원 중에서 환경위생에 관한 업무를 관리하는 자(이하 "환경위생관리자"라 한다)를 지정하여야 한다. 〈개정 2007.3.26., 2008.4.28.〉

② 교육감은 학교의 장이 지정한 환경위생관리자 및 환경위생의 유지·관리를 담당하는 소속 공무원의 전문성을 신장하기 위하여 필요한 교육을 실시하거나 환경위생의 유지·관리에 관한 교육을 전문적으로 실시하는 기관에 이들을 위탁하여 교육을 받을 수 있도록 하여야 한다.

[본조신설 2005.11.14.]

제4조 삭제 〈2017.2.3.〉

제5조 삭제 〈2017.2.3.〉

제6조(유치원 및 대학의 환경위생 기준 등) 「유아교육법」 제2조제2호에 따른 유치원 및 「고등교육법」 제2조 각 호에 따른 학교의 장은 제2조 및 제3조제1항의 기준에 준하는 별도의 기준을 정하여 보건실에 필요한 시설 및 기구를 갖추고, 교사안에서의 환경위생 및 식품위생을 유지·관리할 수 있다. 〈개정 2005.11.14., 2008.4.28.〉

제7조 삭제 〈2017.2.3.〉

제8조 삭제 〈2017.2.3.〉

제8조의2 삭제 〈2017.2.3.〉

제9조 삭제 〈2017.2.3.〉

제10조(응급처치교육 등) ① 학교의 장이 법 제9조의2제2항에 따라 교직원을 대상으로 심폐소생술 등 응급처치에 관한 교육(이하 "응급처치교육"이라 한다)을 실시하는 경우 응급처치교육의 계획·내용 및 시간 등은 별표 9와 같다.

② 학교의 장은 응급처치교육을 실시한 후 각 교직원의 교육 이수결과를 교육감(사립학교의 경우 학교법인 이사장을 말한다. 이하 이 항에서 같다)에게 제출하여야 하며, 교육감은 해당 교직원의 인사기록카드에 교육 이수결과를 기록·관리하여야 한다. 다만, 교육감이 인사기록을 직접 관리하지 아니하는 교직원에 대한 교육기록은 학교의 장이 별도로 기록·관리하여야 한다.

③ 학교의 장은 공공기관, 「고등교육법」 제2조에 따른 학교, 「교원 등의 연수에 관한 규정」 제2조제2항의 연수원 중 교육감이 설치한 연수원 또는 의료기관에서 교직원으로 하여금 응급처치교육을 받게 할 수 있다. 이 경우 예산의 범위에서 소정의 비용을 지원할 수 있다.

[본조신설 2014.7.7.]

제10조(응급처치교육 등) ① 학교의 장이 법 제9조의2제2항에 따라 교직원을 대상으로 심폐소생술 등 응급처치에 관한 교육(이하 "응급처치교육"이라 한다)을 실시하는 경우 응급처치교육의 계획·내용 및 시간 등은 별표 9와 같다.

② 학교의 장은 응급처치교육을 실시한 후 해당 학년도의 교육 결과를 다음 학년도가 시작되기 30일 전까지 교육감에게 제출하여야 한다. 〈개정 2016.9.1.〉

③ 학교의 장은 공공기관, 「고등교육법」 제2조에 따른 학교, 「교원 등의 연수에 관한 규정」 제2조제2항의 연수원 중 교육감이 설치한 연수원 또는 의료기관에서 교직원으로 하여금 응급처치교육을 받게 할 수 있다. 이 경우 예산의 범위에서 소정의 비용을 지원할 수 있다.

[본조신설 2014.7.7.]

〈br〉[시행일 : 2017.3.1.] 제10조제2항

제10조의2(감염병 정보의 공유 등) ① 교육부장관과 보건복지부장관은 법 제14조의3제4항에 따라 영 제22조의2제2항에 따른 감염병 정보를 지체 없이 구두, 전화(문자메시지 등을 포함한다), 팩스, 서면(전자문서를 포함한다) 등의 방법 중 가장 신속하고 적합한 방법으로 공유하여야 한다.

② 교육부장관은 학교에서 감염병을 예방하기 위하여 법 제14조의3제4항에 따라 보건복지부장관과 공유한 정보를 교육감 및 학교의 장에게 제공할 수 있다.

③ 제2항에 따라 정보를 제공받은 교육감 및 학교의 장은 법 제8조 및 제14조에 따른 감염병 관련 업무 이외의 목적으로 해당 정보를 활용할 수 없다.

④ 학교에 감염병에 걸렸거나 걸린 것으로 의심이 되는 학생 및 교직원이 있는 경우 법 제14조의3제5항에 따라 해당 학교의 장이 교육감을 경유하여 교육부장관에게 보고하여야 할 사항은 다음 각 호와 같다.

1. 해당 학생 및 교직원의 감염병명 및 감염병의 발병일·진단일

2. 해당 학생 및 교직원의 소속

3. 해당 학생 및 교직원에 대한 조치 사항

⑤ 제4항에 따른 보고는 서면(전자문서를 포함한다)으로 하되, 「초·중등교육법」 제2조에 따른 학교의 경우에는 같은 법 제30조의4에 따른 교육정보시스템을 통하여 할 수 있다.

⑥ 교육부장관은 법 제14조의3제6항에 따라 감염병 정보를 공개할 때에는 「정보통신망 이용촉진 및 정보보호 등에 관한 법률」 제2조제1항제1호에 따른 정보통신망에 게재하거나 보도자료를 배포하는 등의 방법으로 하여야 한다.

⑦ 제6항에 따른 정보의 당사자는 공개된 사항 중 사실과 다르거나 의견이 있는 경우 교육부장관에게 구두, 서면 등의 방법으로 이의신청을 할 수 있으며, 교육부장관은 이에 따라 공개된 정보의 정정 등 필요한 조치를 하여야 한다.

[본조신설 2016.9.1.]

제11조(규제의 재검토) 교육부장관은 제3조제1항 각 호에 따른 교사 안에서의 환경위생 및 식품위생 기준에 대하여 2015년 1월 1일을 기준으로 2년마다(매 2년이 되는 해의 기준일과 같은 날 전까지를 말한다) 그 타당성을 검토하여 개선 등의 조치를 하여야 한다.

[본조신설 2014.12.31.]

부칙 〈제804호, 2002.4.18.〉

①(시행일) 이 규칙은 공포한 날부터 시행한다.

②(기존 학교에 관한 경과조치) 이 규칙 시행당시 보건실의 시설 및 기구설치 기준과 교사안에서의 환경위생 및 식품위생에 관한 기준에 미달되는 학교의 설립·경영자는 이 규칙 시행일부터 5년 이내에 이 규칙의 기준에 적합하도록 보완하여야 한다.

부칙 〈제866호, 2005.11.14.〉

이 규칙은 2006년 1월 1일부터 시행한다.

부칙 〈제905호, 2007.3.26.〉

이 규칙은 공포한 날부터 시행한다.

부칙 〈제1호, 2008.3.4.〉(교육과학기술부와 그 소속기관 직제 시행규칙)

제1조(시행일) 이 영은 공포한 날부터 시행한다.

제2조부터 제4조까지 생략

제5조(다른 법령의 개정) ① 부터 ㊷ 까지 생략

㊸ 학교보건법 시행규칙 일부를 다음과 같이 개정한다.

제3조제3항 중 "교육인적자원부장관"을 "교육과학기술부장관"으로 한다.

㊹ 부터 〈63〉 까지 생략

부칙 〈제4호, 2008.4.28.〉

이 규칙은 2008년 4월 28일부터 시행한다.

부칙 〈제12호, 2008.8.4.〉

이 규칙은 2008년 8월 4일부터 시행한다.

부칙 〈제1호, 2013.3.23.〉(교육부와 그 소속기관 직제 시행규칙)

제1조(시행일) 이 규칙은 공포한 날부터 시행한다. 〈단서 생략〉

제2조부터 제6조까지 생략

제7조(다른 법령의 개정) ①부터 〈54〉까지 생략

〈55〉 학교보건법 시행규칙 일부를 다음과 같이 개정한다.

제3조제3항 중 "교육과학기술부장관"을 "교육부장관"으로 한다.

〈56〉부터 〈61〉까지 생략

부칙 〈제9호, 2013.12.31.〉

제1조(시행일) 이 규칙은 공포한 날부터 시행한다.

제2조(교육환경 평가 대상별 평가기준에 관한 경과조치) 이 규칙 시행 전에 영 제10조에 따라 교육감에게 제출된 평가서의 평가 대상별 평가기준에 관하여는 별표 7의 개정규정에도 불구하고 종전의 규정에 따른다.

부칙 〈제39호, 2014.7.7.〉
이 규칙은 공포한 날부터 시행한다.

부칙 〈제51호, 2014.12.31.〉 (행정규제기본법 개정에
따른 규제 재검토기한 설정을 위한 단기 산업교육시설
운영 규칙 등 일부개정령)
이 규칙은 2015년 1월 1일부터 시행한다.

부칙 〈제107호, 2016.9.1.〉
이 규칙은 2016년 9월 3일부터 시행한다. 다만, 제10
조제2항, 별표 4의2, 별표 6 및 별표 9의 개정규정
은 2017년 3월 1일부터 시행한다.

부칙 〈제120호, 2017.2.3.〉
이 규칙은 2017년 2월 4일부터 시행한다.